UNE URGENCE POUR SOPHIE

Titres de la collection

Titres de la collection

43

UNE URGENCE POUR SOPHIE

Quatre gardiennes fondent leur club

Ann M. Martin

Adapté de l'américain par
Nicole Ferron

Données de catalogage avant publication (Canada)

Martin, Ann M., 1955-

Une urgence pour Sophie

(Les Baby-sitters; 43)
Pour les jeunes.

Traduction de: Stacey's emergency.

ISBN: 2-7625-7591-5

I. Titre. II. Collection: Martin, Ann M., 1955-
Les baby-sitters; 43.

PZ23.M37Ur 1994   j813'.54   C94-940090-4

Conception graphique de la couverture: Jocelyn Veillette

Stacey's Emergency
Copyright © 1991 by Ann M. Martin
publié par Scholastic Inc., New York, N.Y.

Version française:
© Les éditions Héritage inc. 1994
Tous droits réservés

Dépôts légaux: 1er trimestre 1994
Bibliothèque nationale du Québec
Bibliothèque nationale du Canada

ISBN: 2-7625-7591-5   Imprimé au Canada

LES ÉDITIONS HÉRITAGE INC.
300, Arran, Saint-Lambert (Québec) J4R 1K5
(514) 875-0327

*L'auteure tient à remercier
le Dr Claudia Werner pour l'évaluation
qu'elle a faite de ce livre.*

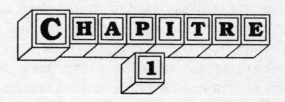

CHAPITRE 1

Je lève les yeux de mon devoir et regarde Charlotte Jasmin, la petite fille de huit ans que je garde.

Elle lit *La Presse*.

— Ça alors! s'exclame Charlotte.

— Quoi?

— On raconte ici qu'une femme a pris un fusil et qu'elle...

— Arrête! dis-je. Je ne veux rien entendre! Pourquoi lis-tu cela?

— Je ne sais pas. C'est dans le journal.

J'imagine que je ne peux pas en vouloir à Charlotte de lire un journal d'adulte, mais a-t-elle vraiment besoin de tout lire? Et surtout à haute voix?

— Et ici, dit de nouveau Charlotte, on écrit qu'un incendie a éclaté dans un gros hôtel et...

— Charlotte! Je ne veux vraiment pas savoir ce qui est écrit... D'accord?

— D'accord. En fait, je cherche des articles scienti-

11

fiques. Oh ! Il y en a un ici sur le diabète, Sophie !

— Vraiment ?

Là, je suis intéressée. Je souffre moi-même de diabète, une maladie qui affecte le taux de sucre dans le sang. Lorsque le niveau de sucre est trop élevé, on peut tomber très malade. Il y a différentes sortes de diabètes et différentes façons de le traiter. Certaines personnes y arrivent en suivant une diète pauvre en glucides, D'autres doivent se donner des injections tous les jours. (J'en fais partie. Je sais que ç'a l'air terrible, mais ma vie en dépend.) Ce sont des injections d'insuline que le pancréas (une glande de notre corps) produit pour éliminer le sucre. Lorsque l'insuline naturelle du corps ne fait pas correctement son travail, on doit aller chercher cette insuline à l'extérieur. Mais ça ne fonctionne pas toujours ; l'insuline naturelle est plus efficace.

Je suis chanceuse d'une certaine façon puisque je peux prendre de l'insuline. J'imagine qu'avant que les médecins ne découvrent ce traitement, les gens devaient beaucoup souffrir. Mais je suis malchanceuse d'une autre façon : je souffre d'une forme sévère de diabète. Ça veut dire que mon diabète est difficile à contrôler. Je dois m'injecter de l'insuline *et* suivre une diète stricte. Et quand je dis stricte… je dis stricte. Maman m'aide à compter mes calories. Il y a plusieurs sortes de calories, comme les protéines et les graisses, et nous devons les équilibrer. De plus, je dois tester mon sang plusieurs fois par jour. Comment je fais ça ? Je me pique le doigt (je sais, vous devez penser que le diabète, c'est beaucoup de piqûres), puis je le pince pour en faire sortir une goutte de sang, je l'essuie sur un papier qu'on appelle papier réactif et je mets cette bande dans un appareil. Un chiffre apparaît sur un écran et il me dit si le niveau de sucre dans mon sang est trop élevé (parce que j'ai mangé un aliment qui contenait trop de sucre naturel, comme un fruit, ou que je n'ai pas assez d'insuline dans mon corps), trop bas (pas assez de sucre dans mon sang ; tout le monde en a besoin), ou juste ce qu'il faut.

Quelques fois, ces derniers temps, j'ai remarqué que les chiffres n'étaient pas ce qu'ils auraient dû être. À part ça, j'ai eu plus faim et soif que d'habitude… et j'ai aussi été plus fatiguée. (J'ai souvent mal à la gorge.) Je n'ai cependant pas parlé à maman de ces tests sanguins. Elle a eu son quota de problèmes depuis quelque temps. (Mes parents viennent juste de divorcer, mais j'y reviendrai plus tard.) Je ne veux pas qu'elle s'inquiète à mon sujet. Après tout, j'ai treize ans et je sais que mon corps passe à travers plusieurs changements hormonaux. (Ça arrive à tout le monde à la puberté.) Alors je me dis que l'insuline subit les mêmes changements et réagit différemment à ma diète et aux injections. C'est ma théorie. Pour dire la vérité, je ne veux pas inquiéter maman parce que je suis moi-même très inquiète.

— Qu'est-ce que raconte cet article ? demandé-je à Charlotte.

— Oh ! c'est un peu ennuyeux, fait-elle en tournant la page. Ça ne parle pas de traitement, mais de l'argent dont les scientifiques ont besoin pour faire de la recherche.

Charlotte replie le journal et se contente de lire les gros titres. Cette petite est très intelligente. Elle est fille unique et ses parents passent le plus de temps possible avec elle. Ils travaillent tous deux très fort; sa mère est médecin. Les professeurs de Charlotte ont demandé à ses parents si elle pouvait sauter une classe et ces derniers ont accepté. C'était une grosse décision à prendre. Charlotte est peut-être très intelligente, mais elle est à la fois timide et capricieuse (même si elle s'est beaucoup améliorée) et elle a de la difficulté à se faire de nouveaux amis.

Quelquefois, elle est trop sérieuse, ce qui me fait lui dire:

— Charlotte, lisons donc quelque chose de plus drôle que ce journal.

— D'accord, dit-elle. Est-ce que je peux regarder dans ta trousse à surprises?

La trousse à surprises est une boîte remplie de mes vieux livres, jouets et jeux, plus quelques objets neufs comme du matériel d'artiste. Je l'apporte toujours quand je vais garder. J'aimerais pouvoir dire que c'est moi qui en ai eu l'idée, mais tout le crédit revient à Christine Thomas, la présidente-fondatrice du Club des baby-sitters. Je reparlerai plus loin du CBS en même temps que du divorce de mes parents.

Charlotte fouille dans ma trousse et en tire le premier livre qu'elle trouve. Elle l'a déjà lu.

— Continue de chercher, lui dis-je.

Elle en sort finalement un autre qu'elle me demande de lui lire. Nous allons toutes deux nous installer sur le divan et Charlotte se presse contre moi dès que je commence la lecture.

Charlotte et moi pourrions presque être sœurs. Pas parce que nous nous ressemblons, non, mais parce que nous sommes si proches l'une de l'autre. Charlotte est même restée chez moi lorsque ses parents ont dû quitter la ville pendant quelques jours. Je ne devrais peut-être pas le dire, mais Charlotte est, parmi tous les enfants que je garde, ma favorite. Et je suis également la gardienne qu'elle préfère.

J'aimerais bien avoir une sœur ou un frère, mais, comme Charlotte, je suis fille unique. Et depuis que mes parents ont divorcé, je vis surtout avec ma mère.

Ce serait peut-être le temps de parler de ce divorce. Mais attention, c'est compliqué! J'ai grandi à Toronto. Papa y avait un travail qui lui prenait tout son temps. Juste avant de commencer mon cours secondaire, la compagnie où il travaille l'a transféré à Nouville. Mes parents sont partis à la chasse aux maisons et ils ont trouvé un endroit qu'on a habité jusqu'à ce qu'il soit de nouveau transféré à Toronto, au beau milieu de mon secondaire II. Cependant, nous n'étions de retour à Toronto que depuis quelques mois quand les problèmes ont surgi entre mes parents. Ils étaient toujours en train de se quereller et, sans que je voie rien venir, ils ont décidé de divorcer. Le pire, c'est que mon père restait à Toronto pour son travail alors que ma mère désirait revenir à Nouville; je devais donc choisir avec quel parent je vivrais. Quelle décision affreuse et difficile à prendre! Mais j'ai finalement choisi d'aller à Nouville tout en promettant à mon père de venir le voir le plus souvent possible. J'y ai assez bien réussi, mais dernièrement, comme je suis fatiguée et pas très en forme, je l'ai un peu négligé. Toute mon énergie passe dans mes classes et mes gardes. La seule pensée de prendre le train jusqu'à Toronto me rend malade.

De plus, j'ai l'impression que papa et maman se servent un peu de moi. C'est terrible à dire de ses propres parents, mais c'est vrai. Tout ce que j'essaie, c'est de me sentir un enfant normal avec une seule maison. Chaque fois que je monte dans le train pour aller voir mon père, ça me rappelle le divorce et ça ne me plaît pas, même si la moitié de mes amies ont aussi des parents divorcés.

Mais je sors du sujet. Je disais que je croyais que papa et maman m'utilisaient. Je veux dire par là qu'ils me mettent sans cesse entre eux deux. Par exemple, lorsque je reviens de Toronto, maman veut savoir ce que papa mijote. Après une ou deux questions, je devine où elle veut en venir: est-ce que papa sort avec quelqu'un? Papa fait la même chose lorsque j'arrive chez lui. Qu'est-ce que je devrais faire? D'abord, je ne sais habituellement pas les réponses à leurs questions. Ensuite, si je sais, et que je raconte tout, est-ce que je vais passer pour une grande bavarde? Si un des deux appelle l'autre pour lui dire: «Sophie m'a dit que tu étais sorti avec une telle l'autre soir», je me retrouverai dans le pétrin.

— Sophie? demande Charlotte. Ça va bien? Tu as arrêté de lire.

— Oh! je suis désolée, Charlotte. J'avais l'esprit ailleurs. Où en étais-je?

— Ici, fait Charlotte en pointant un mot dans le livre.

— D'accord, fais-je en reprenant ma lecture.

Nous sommes toutes deux tellement Çaptivées par l'histoire, que l'arrivée du Dr Jasmin nous fait sursauter !

Après qu'elle m'a payée (et que j'ai prêté mon livre à Charlotte qui veut connaître la fin de l'histoire), je lui demande si je peux lui parler quelques minutes.

— Bien entendu, me répond-elle en me conduisant dans la cuisine.

— C'est mon diabète, lancé-je. Je suis constamment fatiguée, j'ai toujours faim et soif plus que je devrais et… et…

J'admets finalement que les résultats de mon taux de sucre sont bizarres.

J'ai peur que le Dr Jasmin ne me fasse la leçon, même si elle n'est pas mon médecin traitant, mais ce n'est pas son genre. Elle me dit aussitôt :

— Je pense qu'il faudrait que tu ailles voir ton médecin le plus tôt possible, Sophie. Tu es très occupée, tu subis beaucoup de stress et la forme de diabète dont tu souffres peut te jouer de vilains tours. Pourquoi ne demandes-tu pas à ta mère de prendre rendez-vous pour toi ? Ou appelle toi-même puisque tu dois aller voir ton père dans quelques jours.

— D'accord. Merci, docteur Jasmin.

— Ça me fait plaisir, ma chérie.

Je salue Charlotte avant de quitter la maison. J'ai l'intention d'aller finir mes devoirs, et j'ai tellement faim que je mangerais un cheval… peut-être deux. Mais je n'ai soudain plus envie d'aller chez moi. Je veux aller voir ma meilleure amie, Claudia Kishi. J'ai besoin de lui parler.

J'ai besoin de m'évader.

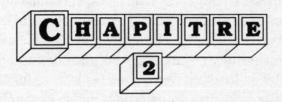

Claudia et moi sommes les meilleures amies depuis cette journée de secondaire I où, après être littéralement entrées en collision, nous avons constaté que nous étions habillées de la même façon — avec beaucoup d'originalité. Puis, lorsque Christine Thomas, une des amies de Claudia, voulut fonder un club de gardiennes, on m'a demandé de m'y joindre. Je suis donc devenue aussi l'amie de Christine et de sa meilleure amie, Anne-Marie Lapierre. Mais Claudia reste ma *meilleure* amie à Nouville. Hélène est ma meilleure amie de Toronto ; je la vois chaque fois que je rends visite à mon père.

Comme toutes les bonnes amies, Claudia et moi sommes semblables sur certains points et différentes sur d'autres. Nous portons toujours des toilettes olé olé : bottes de cow-boy, chemisiers très amples, collants, chapeaux (Claudia en porte quand même plus que moi), et bijoux originaux. Excellente artiste, Claudia fabrique les siens. Nous sommes toutes deux très intéressées par les garçons (on a déjà dit que j'étais «folle» d'eux) et nous aimons ce qui bouge! Mais les ressemblances s'arrêtent ici.

Nous sommes aussi différentes qu'on peut l'être. J'ai les cheveux blonds et les yeux bleus, et comme ma mère me permet de me faire friser, j'ai habituellement les cheveux bouclés. Claudia, elle, est Nippo-Canadienne. Elle a de magnifiques yeux noirs en amande, un teint de pêche et de longs cheveux noirs brillants. Alors que je me coiffe à peu près toujours de la même façon, Claudia trouve mille et un trucs pour les coiffer: tresses, barrettes, queue-de-cheval, etc. Ensuite, je suis fille unique d'une famille passablement mêlée dans le moment et Claudia fait partie d'une bonne vieille famille traditionnelle. Elle est née et a grandi à Nouville et habite avec son père, sa mère et sa sœur aînée, Josée, un véritable génie. Elle n'a que seize ans, mais elle suit déjà des cours au cégep. Elle ne facilite pas la vie de Claudia qui se sent sans cesse comparée à elle. Ce n'est pas que Claudia ne soit pas intelligente, au contraire, mais elle déteste l'école et n'obtient pas les résultats que tout le monde attend. Ce qui intéresse Claudia, ce sont les arts sous toutes leurs formes: peinture, sculpture, collage, dessin, poterie, etc. De plus, Claudia adore lire des suspenses. Ses parents préféreraient qu'elle lise des classiques. (Sa mère est bibliothécaire.) Aussi Claudia cache-t-elle ses livres partout dans sa chambre avec toutes les friandises dont elle ne peut se passer. Sa chambre peut être un territoire de fouilles assez intéressant. On peut y trouver des bonbons à la menthe dans une boîte marquée TROMBONES. On ouvre un tiroir pour y prendre un crayon et on met la main sur un sac de chocolats. Claudia est amusante, généreuse et talentueuse. Je souhaiterais qu'elle ait une plus haute estime d'elle-même.

En parlant de confiance en soi, on peut dire que Christine en a à revendre, malgré tout ce qu'elle a traversé dans la dernière année. Vous pensez que ma famille est compliquée ? Attendez de connaître l'histoire de celle de Christine. C'est la présidente du Club des baby-sitters. Elle habitait autrefois en face de chez Claudia, avec sa mère et ses trois frères : Charles et Sébastien qui sont au secondaire et David, qui a sept ans. Monsieur Thomas est parti de la maison, laissant sa femme seule pour élever ses quatre enfants. Elle s'est aussitôt trouvé un travail. Puis, quelques mois plus tard, madame Thomas s'est mise à fréquenter un millionnaire, Guillaume Marchand. C'était la première relation sérieuse qu'elle avait depuis le départ de son mari. C'était aussi le premier que Christine n'aimait pas. Guillaume a deux enfants d'un mariage précédent, André et Karen, quatre ans et sept ans. Durant l'été entre les deux premières années de secondaire de Christine, madame Thomas a épousé Guillaume. Après le mariage, toute la famille de Christine a emménagé dans le manoir de ce dernier, à l'autre bout de Nouville. Christine a trouvé cela difficile, même si chaque membre de la famille y a sa propre chambre, y compris André et Karen qui n'habitent avec leur père qu'une fin de semaine sur deux.

Et vous ne savez pas la meilleure ? Dernièrement,

Guillaume et madame Thomas ont adopté une petite Vietnamienne de deux ans et demi qu'ils ont baptisée Émilie. Comme cette petite ne peut pas rester seule quand ses parents sont partis travailler, Nanie, la grand-mère de Christine, est venue se joindre à la maisonnée. Avec Christine, sa mère, ses frères, son beau-père, sa demi-sœur et son demi-frère, sa sœur adoptive, sa grand-mère et les animaux (un chat, un chien et deux poissons rouges), les Marchand-Thomas composent une famille folle… et fantastique! (Même Christine l'admet.)

Cette Christine est très extravertie (elle passe pour avoir la langue bien pendue), un vrai garçon manqué et un peu moins mature que les autres membres du CBS. Elle ne se préoccupe pas de sa toilette et porte presque toujours un jean, un chandail à col roulé, un gros lainage et des chaussures de course. Elle est quelquefois coiffée d'une casquette de baseball sur laquelle figure un chien colley. Elle est jolie, même si je crois qu'elle n'en est absolument pas consciente. C'est une fille qui sait organiser, remplie de bonnes idées et créative. Inutile de dire qu'elle adore les enfants.

La meilleure amie de Christine, Anne-Marie Lapierre, ressemble un peu à Christine. Elles sont toutes deux un peu petites pour leur âge et ont des cheveux et des yeux bruns. Mais en dehors de leur apparence extérieure, elles sont très différentes. Christine est démonstrative alors qu'Anne-Marie est timide. Elle a de la difficulté à émettre ses opinions, quoiqu'elle s'améliore un peu. Elle est romantique et pleure pour un rien. Elle a même eu un petit ami pendant assez longtemps.

Anne-Marie a grandi à côté de chez Christine, mais leur vie familiale a été très différente. Chez Anne-Marie, le calme absolu : elle vivait seule avec son père, car sa mère est morte peu de temps après sa naissance. Elle a été élevée par son père qui a toujours été strict envers elle. Pas qu'il soit méchant, mais il a un goût exagéré pour l'ordre et la discipline. Et puis je pense qu'il voulait prouver qu'il était capable d'élever sa fille tout seul. Il a donc inventé un tas de règlements qu'Anne-Marie a dû suivre. Lorsque je l'ai rencontrée la première fois, je trouvais qu'elle avait l'air d'une petite fille, même si elle était de mon âge. Lorsque Anne-Marie a pu prouver à son père qu'elle était aussi mature que ses amies, il a un peu relâché son emprise sur elle.

Vers le milieu de notre secondaire I, une autre fille s'est ajoutée à notre groupe. C'est Diane Dubreuil, une fille qui arrivait de Californie. Elle est venue habiter ici avec sa mère et son jeune frère, Julien, après le divorce de ses parents. Sa mère a choisi Nouville parce que ses parents y habitent encore. Cette fille a les cheveux les plus blonds et les plus longs que j'aie jamais vus. Ses yeux sont très bleus. Elle déteste l'hiver, adore l'été, les aliments naturels et l'exercice. Elle aime bien aussi lire des histoires de fantômes. C'est un fait intéressant puisque sa mère a acheté une vieille maison de ferme qui possède un passage secret… et peut-être hanté. Diane est sûre d'elle et très individualiste. Elle ne se préoccupe pas de ce que les autres pensent et s'habille d'une façon très personnelle.

Peu après l'arrivée de Diane, elle et Anne-Marie

sont devenues amies. Elles sont maintenant des demi-sœurs. Comment c'est arrivé? Eh bien, les deux en sont partiellement responsables. Elles regardaient un vieil album du collège de Nouville lorsqu'elles ont découvert que leurs parents sortaient ensemble à une certaine époque. Après leur graduation, cependant, ils sont partis chacun de leur côté. Diane et Anne-Marie ont donc tout fait pour que leurs parents se rencontrent. Madame Dubreuil et monsieur Lapierre se sont alors fréquentés à nouveau et, après un temps qui a semblé interminable, ils se sont mariés! Anne-Marie, son père et son chaton Tigrou sont donc allés habiter chez Diane et sa mère dont la maison était plus grande. (Quant à Julien, il est retourné avec son père en Californie car il ne s'habituait pas du tout à la vie ici.) Diane et Anne-Marie vivent maintenant sous le même toit, ce qui n'est pas toujours facile, mais habituellement agréable.

Alors que Claudia, Christine, Anne-Marie, Diane et moi avons treize ans, les deux autres membres du CBS n'en ont que onze et sont encore en sixième année. Elles s'appellent Jessie Raymond et Marjorie Picard. Ce sont deux très bonnes amies. (C'est vrai qu'il y a beaucoup de paires d'amies dans le Club.) Ce sont donc les aînées de leur famille respective, elles adorent lire, surtout des histoires de chevaux, elles aiment bien écrire (surtout Marjorie) et elles croient toutes les deux que leurs parents les traitent comme des bébés, même si elles sont assez vieilles pour garder. Je me rappelle mes onze ans. Quelle misère!

Jessie vient d'une famille moyenne. Elle vit avec ses

parents, sa tante Cécile, sa sœur Becca de huit ans (la meilleure amie de Charlotte Jasmin), et son petit frère, Jaja. Ils habitent mon ancienne maison ! Jessie est une ballerine talentueuse, je peux vous en parler en toute connaissance de cause. Elle s'est produite devant de larges auditoires et elle prend des cours non loin de Nouville. Elle a de longs cils, de grands yeux bruns, des jambes qui n'en finissent plus et une peau couleur de chocolat.

Marjorie, elle, vient d'une famille de huit enfants. Trois de ses frères sont des triplets identiques. Marjorie adore écrire et elle compose déjà des contes pour enfants qu'elle illustre. Elle a des cheveux roux frisés, mais aussi des lunettes et un appareil dentaire qui, heureusement, est en plastique transparent, et donc pas trop visible. Ses parents n'acceptent pas encore qu'elle porte des lentilles cornéennes. Ils lui ont permis cependant de se faire percer les oreilles. Et puis elle ne portera pas ses broches toute sa vie.

Et voilà ! Vous connaissez maintenant tout le groupe : Christine, Diane, Marjorie, Jessie, Anne-Marie et Claudia, ma meilleure amie, à qui j'ai désespérément besoin de parler. Elle habite tout près de chez Charlotte et j'espère qu'elle sera à la maison.

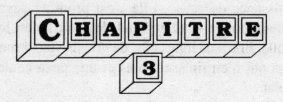

CHAPITRE 3

Claudia est chez elle et nous avons une bonne conversation. La chambre de Claudia aussi bien qu'elle-même ont quelque chose de réconfortant. Peut-être est-ce là une des raisons qui nous font tenir les réunions du CBS à cet endroit.

Je pense qu'il est temps que je vous parle de ce Club que je mentionne très souvent. C'est Christine qui en a eu l'idée. Elle était en secondaire I et sa mère commençait à sortir avec Guillaume. À cette époque, Christine et Anne-Marie étaient encore voisines, juste en face de chez Claudia. Christine et ses deux frères aînés s'étaient arrangés pour garder David à tour de rôle après l'école. Ça fonctionnait bien jusqu'au jour où ni l'un ni l'autre des trois n'était disponible et madame Thomas dut donc se mettre à la recherche d'une gardienne pour David. Christine regardait sa mère faire appel sur appel pour tenter d'en dénicher une et elle se sentait triste pour elle. Si sa mère, songeait-elle, n'avait qu'un seul numéro à composer pour rejoindre tout un groupe de gardiennes, ce serait vraiment formidable. Et voilà que l'idée de partir une entreprise de baby-sitting germa dans la tête de Christine! L'une d'entre elles serait habituellement libre et les parents seraient comblés. Elle appela donc Anne-Marie et Claudia, et elles décidèrent de fonder le Club des baby-sitters.

Les filles réalisèrent tout de suite qu'un membre supplémentaire ne serait pas superflu. Claudia a suggéré mon nom puisque j'avais beaucoup gardé à Toronto et j'ai tout de suite accepté. La mise sur pied du Club a demandé beaucoup de travail. Nous avons décidé de nous rencontrer trois après-midi par semaine dans la chambre de Claudia (elle a son appareil de téléphone et une ligne privée). Les parents pourraient nous appeler à ces périodes et rejoindre du même coup quatre gardiennes expérimentées. Mais comment le leur faire savoir?

— Nous allons faire de la publicité, dit Christine.

Nous avons donc annoncé partout la création du Club dans le journal local, dans les boîtes aux lettres et de bouche à oreille. Après cela, les appels ont commencé... et n'ont jamais cessé. Diane s'est jointe à nous à son arrivée de Californie. Puis, lorsque j'ai dû repartir à Toronto, Marjorie et Jessie ont été invitées à faire partie du Club à leur tour. À mon retour de Toronto, je suis devenue le septième membre du Club, et le dernier je crois. De toute façon, la chambre de Claudia ne peut contenir plus de membres. Il faudrait installer les autres au plafond.

Le CBS fonctionne à merveille, Christine y voit. C'est la présidente, puisqu'elle a eu l'idée du Club. Les autres membres ont aussi des fonctions bien définies.

Claudia est vice-présidente. Elle le mérite bien puisque nous envahissons sa chambre trois fois par semaine, mangeons ses friandises et monopolisons son téléphone. Il arrive que les parents appellent aussi Claudia entre les réunions et elle doit prendre les messages.

La secrétaire est Anne-Marie. Elle a le sens de l'organisation, mais j'ai toujours l'impression qu'elle travaille plus que les autres pendant les réunions. Son travail est de garder l'agenda à jour. L'agenda est une autre des idées de Christine. Anne-Marie y inscrit les noms, les numéros de téléphone, les adresses, le taux horaire et les informations spéciales concernant les enfants de nos clients. De plus, chaque garde y est consignée en tenant compte des occupations de chacune : les leçons de ballet de Jessie, les rendez-vous de Marjorie chez l'orthodontiste, les classes d'arts plastiques de Claudia. Je pense qu'Anne-Marie n'a jamais fait d'erreurs.

Je suis la trésorière du Club. Sans me vanter, je suis une bolée en maths. Ça me vient facilement. Je peux faire des additions très rapidement dans ma tête, sans papier, sans crayon. Mon travail est de recueillir les cotisations hebdomadaires des membres et de redistribuer l'argent lorsque nécessaire. À quoi sert cet argent ? À aider Claudia à payer ses factures de téléphone, à rémunérer Charles qui conduit Christine à toutes les réunions depuis qu'ils habitent à l'autre bout de la ville, à fournir les fonds pour une fête du Club, à remplacer le matériel des trousses à surprises. Vous vous rappelez, j'en ai déjà parlé. Nous ne les apportons pas à chacune des gardes, mais assez souvent. Les enfants les adorent, les parents sont heureux du résultat et c'est le Club qui en tire des bénéfices.

La position de Diane est membre suppléant. Cela signifie qu'elle peut remplacer n'importe quel membre sans avis préalable, un peu comme un professeur suppléant dans une école. Mais comme les membres sont rarement absents, Diane nous aide en répondant souvent au téléphone.

Jessie et Marjorie sont nos membres juniors. Elles n'ont que onze ans et n'ont pas la permission de garder le soir, à moins que ce soit dans leur propre famille. Mais étant donné qu'elles prennent une grande partie des gardes d'après-midi, cela libère les autres pour les gardes de soirée.

Voyons voir si j'ai tout dit du CBS…

S'il arrivait qu'un engagement ne puisse être rempli par aucune d'entre nous (cela arrive de temps à autre), Christine a recours à l'un des deux membres associés du CBS. Ce sont des gardiens fiables qui n'assistent pas aux réunions, mais sur qui on peut compter pour ne pas décevoir nos clients. Ce sont Chantal Chrétien, une amie de Christine dans son nouveau quartier, et Louis Brunet. C'est le garçon qu'Anne-Marie a déjà fréquenté !

Finalement, une *autre* idée de Christine est de tenir un journal de bord. Chaque membre est tenue d'y écrire quelques mots au sujet de chacune de ses gardes. Puis, toutes doivent le lire une fois par semaine pour s'assurer de savoir ce qui arrive chez nos clients et aussi pour voir comment nos amies ont contrôlé telle ou telle situation. Personne n'aime vraiment écrire dans le journal de bord (sauf Marjorie), mais nous devons admettre qu'il est très utile.

* * *

Plus tard, dans l'après-midi, Claudia et moi avons terminé notre conversation et toutes mes amies sont enfin arrivées. Comme d'habitude, Christine est assise dans le fauteuil, visière sur la tête et crayon sur l'oreille.

— Hum, hum! fait finalement cette dernière.

Non, elle n'a pas le rhume; elle nous signale plutôt qu'il est maintenant dix-sept heures trente et une minutes, et qu'il est temps de commencer la réunion.

Que faisons-nous toutes? Marjorie et Jessie sont assises par terre, appuyées contre le lit et s'amusant avec cette espèce de truc en papier qui leur sert à dire la bonne aventure. Claudia, Anne-Marie et moi sommes installées sur le lit de Claudia, dos au mur. Et Diane est à califourchon sur l'autre chaise de Claudia.

Cette dernière a ouvert des paquets de bonbons que nous passons à la ronde. L'odeur de sucre me rend malade. Au moins, je ne suis pas la seule à ne pas y toucher. Diane grignote plutôt quelques craquelins et je l'imite, mais ils ne réussissent pas à calmer ma faim, très grande à ce temps-ci de la journée. Un bonbon ou deux feraient mieux l'affaire.

Dès que Christine attire notre attention, nous nous mettons presque au garde-à-vous. Le téléphone sonne au même moment et Diane répond.

— Allô, le Club des baby-sitters… Bonjour, Dr Jasmin… Mardi prochain? Anne-Marie va vérifier et je vous rappelle… D'accord. Au revoir.

Diane raccroche et nous regarde.

— Une gardienne pour Charlotte Jasmin, mardi prochain de dix-neuf heures à vingt-deux heures.

Pendant qu'Anne-Marie consulte l'agenda, Jessie et Marjorie poussent quelques grognements. Elles ne peuvent pas prendre les gardes de soirée et sont déçues.

— Ça va, dit Anne-Marie. Sophie, Christine et Diane sont libres.

— Je dois préparer un examen d'histoire pour le lendemain, dit Diane. J'aimerais mieux étudier.

— Prends donc la garde, Sophie, fait Christine. Tu habites beaucoup plus près de Charlotte que nous toutes.

Anne-Marie enregistre la garde sous mon nom et Diane rappelle la mère de Charlotte. Voilà comment nous organisons notre travail. Avec diplomatie.

Le reste de la demi-heure passe rapidement. Le téléphone sonne sans arrêt. (Deux fois, cependant, c'est Sébastien Thomas qui nous joue des tours.) Dès dix-huit heures, Christine se lève en annonçant:

— Ajournement de la séance!

Nous nous levons toutes. Christine regarde par la fenêtre pour voir si son frère est arrivé. Jessie et Marjorie causent dans un coin. Diane et Anne-Marie se dirigent vers la porte et Claudia les accompagne.

Comme personne ne me voit, je tends la main vers le bureau de Claudia et je prends un paquet de bonbons que je cache rapidement dans mon sac.

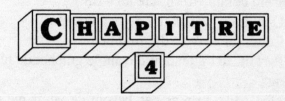

CHAPITRE 4

Dring, dring.

J'entends le téléphone dans la chambre de ma mère. Pourquoi ne répond-elle pas ? Je me rappelle soudain qu'elle est chez les Picard pour une quinzaine de minutes. Je devrai donc aller répondre si ça sonne encore.

— Ouach, dis-je en m'assoyant sur mon lit.

C'est mercredi soir. J'essaie de trouver l'énergie nécessaire pour commencer mes devoirs.

Dring, dring !

On jurerait que le téléphone s'impatiente. Je saute sur mes pieds et cours dans la chambre de maman.

— Allô ?

— Bonjour, ma chérie.

C'est papa.

— Bonjour, papa ! fais-je en tentant de paraître pleine d'énergie plutôt que morte de fatigue.

— Comment vas-tu ? Es-tu prête pour la fin de semaine ?

— Mais oui.

La fin de semaine qui vient appartient à mon père. (J'ai même négligé d'appeler mon médecin). Je vais partir pour Toronto vendredi après-midi. (Diane me remplacera comme trésorière au CBS.)

— Quel train prends-tu ? demande papa.

— Celui qui arrive à dix-huit heures.

— Parfait. Je t'attendrai devant le guichet de renseignements.

— Oh! papa, tu n'as pas besoin de venir me chercher, lui dis-je. (Nous avons la même discussion presque toutes les fois que je vais chez lui.) Je peux prendre un taxi jusqu'à ton appartement.

— Tu n'auras pas le temps. J'ai retenu une table pour dix-huit heures trente.

— Mais j'aurai toutes mes choses avec moi, dis-je en essayant de ne pas avoir l'air plaignarde. Je ne veux pas transporter tout ça au restaurant.

— Ne t'inquiète pas. Nous laisserons tout au vestiaire. Puis nous rentrerons après un bon repas.

— D'accord, soupiré-je.

J'ai soudain l'impression que mon père a fait des tas de projets pour moi. Quelquefois, ça va, mais pas quand je suis fatiguée. Et surtout pas quand j'ai un tas de devoirs à faire. Enfin, je pourrai peut-être travailler dans le train.

Papa a effectivement planifié un tas de choses pour moi. Il a acheté des billets pour le cinéma. De plus, comme il connaît toutes les expositions qui se tiennent en ville, il a pensé m'en faire visiter quelques-unes et a organisé une centaine de repas au restaurant. (Je ne crois pas que mon père se fasse jamais à manger. En fait, son frigo ressemble à un grand trou : vide.)

— Est-ce qu'il me restera du temps pour voir Hélène ? demandé-je.

— Bien sûr. Elle peut venir au Musée Royal de l'Ontario avec nous. (Les musées ne sont pas les endroits favoris de mon amie.)

— Papa ? Est-ce que je pourrais sauter la visite du musée, samedi après-midi ? Hélène pourrait venir me voir et on parlerait, tout simplement.

— C'est vraiment ce que tu aimerais faire de ton samedi ?

— Seulement l'après-midi, papa, dis-je en étouffant un bâillement.

— Tu m'as l'air passablement fatiguée, ma chérie.

— Oui, un peu. J'ai beaucoup de devoirs.

J'aurais bien envie de lui demander d'annuler la fin de semaine à Toronto pour que je puisse refaire surface, mais j'ai peur de lui causer de la peine.

— Essaie donc de dormir un peu plus, me dit papa tout simplement. Nous avons une grosse fin de semaine qui nous attend.

Tu parles, me dis-je.

— D'accord, bâillé-je une fois de plus.

— Ta mère est-elle là ? demande papa après une pause.

— Non, dis-je, évasive.

— Où est-elle ? fait papa, soupçonneux.

Oh, non ! Il ne va pas me servir la même rengaine.

— Elle est chez les Picard.

— À cette heure-là ?

— Papa, il n'est que vingt heures trente.

— Mais que fait-elle là ? Et pourquoi es-tu toute seule à la maison ?

Oh, Seigneur !

— Papa, ça fait des années que je reste seule parfois. Quelquefois je garde même des enfants.

— Sophie Ménard, dit papa, tu sais ce que je veux dire. Pourquoi ta mère est-elle chez les Picard en pleine semaine sans toi ?

— Parce qu'elle et madame Picard sont amies.

Pourquoi en suis-je toujours réduite à défendre mes parents l'un envers l'autre ? Et si maman voulait sortir avec quelqu'un ? Elle en a le droit. Elle et mon père sont divorcés que je sache.

— Qu'est-ce que ça signifie ? demande papa.

— Ça veut dire que madame Picard s'est acheté une nouvelle robe et qu'elle veut l'avis de maman.

— Pourquoi ?

— Je ne sais pas.

— Es-tu certaine qu'elle est chez les Picard ?

— *Papa !*

— Bon, ça va.

Je me demande soudain ce qui arrivera le jour où je dirai à papa que maman sort sérieusement avec un autre homme. Ou que j'avertirai maman que papa fréquente une jeune femme très à la mode, plus jeune qu'elle, etc.

Si jamais j'ai à rapporter des choses semblables, est-ce que mes parents m'en voudront ? Oh, j'aime mieux ne pas y penser.

— Sophie?

— Oui?

— Tu ne m'as pas répondu. Je t'ai demandé comment cela allait à l'école.

— Oh! ça va.

— Et le Club?

— Ça va aussi.

Au même moment, j'entends la porte se refermer.

— Hé, maman vient de rentrer. Tu veux lui parler?

— Oui. À vendredi alors.

Je vais au bout du corridor et je crie:

— Maman! C'est papa au téléphone. Il veut te parler!

Puis je cours dans sa chambre. Je ne veux pas lui donner la chance de me chuchoter une excuse pour ne pas lui parler.

Une fois revenue dans la chambre de ma mère, je fais la première de deux choses que je n'aurais jamais dû faire ce soir. J'écoute la conversation de mes parents.

— Et cette robe, elle est bien? demande papa en guise de salutation au moment où ma mère décroche dans la cuisine.

— La robe? Oh! celle de madame Picard? Oui. Pourquoi?

— Oh! laisse tomber.

Papa n'a pas grand-chose à dire, aussi parlent-ils tous les deux de ma fin de semaine à Toronto. Je reste à écouter jusqu'à ce qu'ils raccrochent. Je dépose ensuite le combiné très délicatement, puis je me rends furtivement dans ma chambre.

Je m'étends sur mon lit. Mon estomac crie famine et

je meurs de soif. Pourtant, ma mère et moi avons terminé le souper il y a peu de temps. Je n'ai pas vraiment
envie de me rendre dans la cuisine; j'ai l'impression
que maman sera furieuse que je lui aie passé mon père
au téléphone.

Mais je dois manger quelque chose... n'importe
quoi et vite. Je marche sur la pointe des pieds jusqu'à
mon bureau. Me sentant comme Claudia, j'ouvre lentement le tiroir, soulève une pile de papiers, en sors une
vieille boîte à crayons et en tire... le paquet de bonbons
au chocolat.

Ah! du chocolat!

Je déballe le paquet et me met à respirer cette délicieuse odeur à nulle autre pareille.

Je suis très fatiguée. Et je suis drôlement fatiguée
d'être fatiguée. En d'autres mots, j'en ai ras le bol d'en
avoir ras le bol. Personne ne doit suivre une diète
comme la mienne. Diane ne mange pas de friandises,
mais c'est *son* choix. Ma diète n'est pas *mon* choix.

Oh! que j'ai envie de chocolat! Je n'en ai pas mangé
depuis que les médecins ont découvert que je faisais du
diabète. En croquant le premier, j'ai l'impression de
goûter au chocolat pour la première fois de ma vie.

Et je mange tout le paquet.

Puis je me sens coupable.

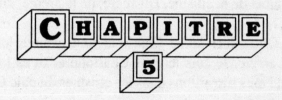

CHAPITRE 5

Je garde encore Charlotte Jasmin aujourd'hui. D'habitude si tranquille, elle cherche maintenant quelque chose de nouveau à faire.

— Comme quoi? lui demandé-je. De la peinture?

— Non. Quelque chose de plus compliqué.

— De plus compliqué? Et pourquoi pas des sculptures de papier?

Charlotte réfléchit un moment, puis secoue la tête lentement en disant:

— Je veux faire du pouding au chocolat.

Du pouding au chocolat? Ce sera une torture pour moi.

— Tu es certaine de ne pas vouloir faire des sculptures de papier?

— Non, du pouding au chocolat, s'il te plaît, Sophie! On a tous les ingrédients et Becca viendra m'aider. On pourrait jouer au restaurant et s'amuser à faire le dessert.

Je n'ai aucune raison de la dissuader.

— D'accord. Appelle Becca, dis-je en cachant ma déception.

— Merci, merci, merci ! crie Charlotte en courant au téléphone.

Je l'entends inviter Becca, qui accepte aussitôt. Charlotte commence à sortir les ingrédients nécessaires sur la table de la cuisine. Du sucre, de la crème, du chocolat...

— Oh, salut ! lance Charlotte tout excitée lorsque Becca arrive. Je suis le chef Charlotte et tu es le chef Becca. Nous travaillons dans les cuisines du chic Grand Hôtel.

— Connu dans le monde ? demande Becca.

— À travers la galaxie, réplique Charlotte.

— Oh ! là là ! fait Becca.

— Le pouding au chocolat est notre spécialité, n'est-ce pas, Sophie ?

— Oui, et spécialement sur Saturne, dis-je en souriant.

— Non, sur Mars ! s'écrie Becca.

— Bon, sur Mars. Mais pourquoi sur Mars ?

— Parce qu'on pourra faire semblant d'être des cuisinières martiennes. Et même fabriquer des Voies lactées.

— Attendez ! crie Charlotte en sortant de la cuisine en courant.

Becca et moi restons interloquées, nous demandant ce que peut bien manigancer Charlotte.

Elle revient aussitôt avec une paire d'antennes sur la tête et une autre paire qu'elle tend à Becca.

— Mets ça ! dit-elle. Là, nous ressemblons vraiment à des Martiennes.

C'est tout un spectacle, je vous assure, de les voir toutes les deux, antennes sur la tête, tabliers immenses enroulés autour de la taille et du chocolat jusqu'aux coudes. Mais je commence à moins m'amuser.

C'est à cause de la senteur du chocolat. Je ne peux arriver à me concentrer sur autre chose que cette odeur délicieuse. C'est une véritable torture, mais les petites ne s'en aperçoivent pas, toutes occupées qu'elles sont par leur jeu.

— Regarde ! Nous passons près de la Lune, dit Becca.

— Oui, on pourrait arrêter. Sais-tu si la poussière de Lune est un bon substitut pour le sucre ?

— Oh, non ! Nous l'avons déjà dépassée ! crie Becca.

— Arrête la fusée ! réplique Charlotte.

Elles parlent tout en mélangeant les ingrédients dans un grand bol de plastique.

— Iiiiiche ! fait Becca, imitant le bruit des freins.

Elle lève un bras au-dessus de sa tête, comme pour se protéger d'un choc, mais c'est le bras qui tient la cuiller plongée dans le mélange, et elle éclabousse le mur derrière l'évier.

— Oh ! s'exclame-t-elle. Je ne voulais pas faire ça.

— Je sais, lui dis-je. Ce n'est pas grave. Continuez de travailler et je vais nettoyer.

— Merci, fait Becca, soulagée.

Pendant que je passe l'éponge, les deux petites continuent leur voyage galactique imaginaire.

— Le plus fameux pouding au chocolat martien ! crie Charlotte.

— Arrivons-nous sur Mars ? demande Becca.

— Pas encore… On dirait, oui ! C'est une pluie de météorites ! On va s'écraser !

Je me retourne pour voir l'habituelle douce Charlotte en plein délire. J'allais lui dire de se calmer, mais je change d'avis. Peut-être que ça lui fait du bien.

— Une pluie de météorites ? demande Becca. Qu'est-ce que c'est ?

— C'est… Attends ! Ça arrive droit sur nous ! Bang ! Bang ! Notre vaisseau est bombardé. Attention !

Au même moment, j'entends tout un fracas. Dans leur excitation, elles ont renversé tout le bol de pouding au chocolat. Il y en a partout.

— Oups ! fait Charlotte.

Les deux fillettes me regardent et je soupire.

— Est-ce qu'on peut recommencer ? demande Charlotte d'une petite voix misérable.

— Si vous nettoyez tout. Et si, lorsque vous recommencerez, vous êtes devenues de bonnes petites Terriennes, cuisinant dans une cuisine tout à fait ordinaire, sans antennes.

— Promis, disent Charlotte et Becca à l'unisson.

Elles enlèvent leurs antennes, épongent le chocolat avec des essuie-tout et, lorsque c'est propre à nouveau, reprennent leur projet. Calmement.

Finalement, le pouding est terminé.

— Est-ce qu'on peut y goûter ? demande Charlotte. Je sais qu'on ne peut pas manger avant le souper, mais on pourrait en avoir une toute petite portion.

— Bien sûr, leur dis-je en sortant deux minuscules

bols dans lesquels je dépose trois cuillerées de pouding.

— Miammm, font-elles, les yeux fermés de plaisir.

Mmmmm, me dis-je. Qu'est-ce que je donnerais pour...

— Eh! crie Becca. Il y a une émission sur un garçon et son cheval à la télé.

— Oh, je veux la voir! s'exclame Charlotte. Mais il faut d'abord aider Sophie à tout ranger.

Cette dernière tâche ne semble pas lui plaire plus qu'il ne faut. Je lui dis donc:

— Allez regarder votre émission; je vais ranger.

Les fillettes se ruent vers le salon. Je mets le pouding dans de petites coupes.

Puis, j'en mets dans un petit bol de plastique que je glisse dans mon sac.

Dans ma chambre, le même soir, j'ai peine à me concentrer sur mes devoirs. D'abord, j'ai faim. Je pense au pouding dans mon sac. Je n'arrête pas d'y penser. Je sors finalement le bol et je vais chercher une cuiller dans la cuisine. J'ai apporté une barre de chocolat à l'école cet après-midi et je l'ai mangée secrètement dans les toilettes des filles. Et les bonbons que j'avais pris chez Claudia...

Qu'est-ce que je suis en train de faire? Je me le demande. Je m'aperçois alors que je n'ai pas encore préparé mes effets pour la fin de semaine à Toronto. Et moi qui suis supposée partir tout de suite après l'école demain. Je me lève lentement et ouvre la porte de ma penderie. J'en sors ma mallette de voyage. Le télé-phone sonne, mais maman répond immédiatement de sa chambre. Ce n'est pas pour moi. Je me mets donc au travail.

J'oublie tout du téléphone jusqu'à ce que j'entende maman dire d'une voix plus forte :

— Tu la gâtes trop !

Ce doit être papa qui est au bout de la ligne. (Je n'imagine pas maman parler de la sorte à qui que ce soit d'autre.) Et le « la » qu'on gâte trop doit être moi.

Je me glisse dans le corridor, le plus près possible de la chambre de maman. J'entends la fin de sa conversa-tion aussi bien que si j'étais assise à ses côtés. Sa voix n'est pas très enjouée.

— Ne lui achète pas tant de choses en fin de semaine, fait-elle dans un soupir. Et ne la promène pas sans arrêt. Elle est fatiguée ces derniers temps… Quoi ?… Ce que je veux dire c'est que vous n'êtes pas obligés d'aller dix fois au restaurant *et* de visiter tant de musées *et* d'aller au cinéma. (Il y a ensuite une longue pause, puis maman reprend du même ton un peu dur.) Je ne suis pas jalouse de ce que tu fais pour Sophie. Laisse-la un peu tranquille, c'est tout… C'est ça, je vérifierai avec elle dimanche soir.

Et papa, de son côté, va reprendre son petit jeu-ques-tionnaire sur les sorties de maman et la présence possi-ble d'un autre homme dans sa vie. Joli programme ! J'en ai assez d'être toujours entre les deux. Sophie-sand-wich !

Je retourne dans ma chambre sur la pointe des pieds.

Je retrouve ma mallette à moitié faite et mes devoirs non complétés.

Je termine mes bagages, mais je repousse mes livres et je m'étends sur mon lit, tout habillée. J'ai un terrible mal de tête.

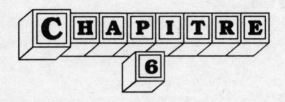

CHAPITRE 6

J'ai tout préparé ; je suis prête à partir. Mais je n'ai pas le cœur au voyage. Ce n'est pas seulement cette histoire de divorce. C'est ça, plus l'école, plus le fait de ne pas me sentir dans mon assiette. Aujourd'hui, je suis surtout inquiète de mes travaux scolaires : je suis tellement en retard. Je me demande même pourquoi personne de l'école n'a encore appelé maman. La seule matière où je suis au-dessus de mes affaires sont les maths. Tout le reste est à vau-l'eau et j'ai peur de couler en anglais.

Tard, hier soir, je n'arrivais pas à dormir ; je pensais : « Et si quelqu'un a appelé maman et qu'elle n'ose m'en parler pour ne pas m'inquiéter ? Et qui me dit que je ne suis pas très malade et que personne ne s'en aperçoit ? » J'en deviens paranoïaque.

— Désolée de rater la réunion aujourd'hui, dis-je à mes amies à la fin de ce vendredi après-midi.

— Ça va, dit Christine. On comprend.

— J'aimerais tellement aller à Toronto avec toi, dit Anne-Marie.

— Hé, Sophie! Voilà ta mère! crie Claudia. Amuse-toi bien en fin de semaine. Appelle-moi en revenant et raconte-moi tout.

— Non! Attends lundi, pendant la réunion! s'exclame Anne-Marie. Nous voulons tous les détails.

— Parle pour *toi*! réplique Christine.

Mais Anne-Marie n'écoute pas.

— Ce que tu as mangé, qui tu as rencontré dans les restaurants, continue-t-elle, excitée. Si tu vois quelqu'un de célèbre, essaie de rapporter quelque chose de personnel, comme un reste de table.

— Tu veux dire un morceau de pain rassis?

— Ouais!

— Anne-Marie, c'est dégoûtant, fait Jessie.

— Si jamais je deviens une célébrité, ne laissez pas Anne-Marie m'approcher, reprend Christine.

— Je dois y aller, dis-je en entendant le coup de klaxon. À lundi!

Nous nous saluons toutes et je me dirige vers l'auto de maman, mon cartable sous le bras.

— Bonjour, dis-je en ouvrant la portière. As-tu apporté ma mallette?

— Elle est sur la banquette arrière, répond maman. Tu as bien l'air pâle.

— Je suis un peu fatiguée. Je n'ai pas tellement bien dormi la nuit dernière. Et toi, comment vas-tu?

— Bien, bien.

Une demi-heure plus tard, le train entre en gare de

Nouville. Maman vient de finir un café et, moi, un soda diète.

— Amuse-toi bien, ma chérie ! lance maman quand je monte dans le train.

— Promis.

Je trouve une place près de la fenêtre et je salue maman de la main dès que le train s'ébranle. Il n'y a pas trop de monde. En fait, mon wagon n'est qu'à moitié plein. Parfait. Ce sera tranquille et je pourrai peut-être travailler en paix. Je sors ma grammaire de mon cartable.

— Le plus-que-parfait, marmonné-je en commençant à lire.

Et voilà que soudain on annonce que le train arrive en gare d'Oshawa... presque à Toronto. Je suis tombée endormie et j'ai perdu des heures de travail.

Je bâille et m'étire. Je suis tout engourdie. Ce que j'ai soif ! Est-ce que je ferais de la fièvre ? Tout ce que je sais c'est qu'il faut que je boive au plus vite. J'ouvre mon porte-monnaie et je pense tout à coup qu'il n'y a pas de casse-croûte sur ce train. Qu'est-ce que je vais faire ? Il n'est peut-être pas nécessaire que je boive un soda ; de l'eau fera l'affaire.

Je regarde derrière moi. Merci, Seigneur, il y a des toilettes tout près. Il y aura sûrement l'eau courante et des gobelets de papier, non ?

En fait, il y a l'eau courante, un réservoir sale de savon rose et des essuie-tout... mais pas de gobelets.

Je pense tout à coup à ce verre de plastique que maman traîne partout. Je ris toujours d'elle, mais je donnerais ma chemise pour l'avoir en ce moment.

Je me demande comment je vais boire cette eau. Je commence par me laver les mains, puis je ferme l'eau chaude et tourne le robinet d'eau froide. Je mets mes mains en coupe sous le jet et je bois à grandes lampées... encore et encore. Rien, même pas le chocolat, ne pourrait avoir meilleur goût à cet instant.

Je retourne à ma place.

Cinq minutes plus tard, la soif me reprend.

Avant d'arriver à la gare de Toronte, je retourne six fois aux toilettes, quatre fois pour boire et deux pour mes petits besoins. Lorsque j'aperçois papa au guichet des renseignements, je lui demande aussitôt s'il peut m'acheter un soda. Je n'arrive pas à contrôler ma soif.

Papa me fixe d'un air intrigué et me demande :

— Ma chérie, es-tu certaine que tout va bien ?

— Pas vraiment.

— Et le souper ? demande papa.

— Je meurs de faim, lui dis-je. En fait, j'ai eu faim toute la journée...

— As-tu mangé ? m'interrompt papa.

— Oui. J'ai déjeuné, dîné (je ne parle pas de la barre de chocolat que j'ai mangée, cachée dans les toilettes des filles de l'école). Mais j'ai encore faim. Et je suis tellement fatiguée. J'aimerais bien souper au restaurant, mais je ne suis pas sûre... je veux dire...

Papa m'interrompt une deuxième fois.

— Nous mangerons à la maison. On commandera quelque chose. Viens, sautons dans un taxi.

— Est-ce que je peux d'abord avoir un soda ?

— Ne peux-tu pas attendre d'être à la maison ?

Je secoue la tête.

— Bon, fait papa.

Il m'achète un gros soda diète que je termine avant d'arriver.

Ce soir-là, papa commande des salades et des sandwichs. Nous soupons dans la cuisine, ce que j'aime encore mieux que le resto. Je me change et nous prenons notre repas tranquillement tout en causant de choses et autres.

J'aimerais appeler Hélène, mais vers vingt et une heures je suis tellement fatiguée que je bâille à m'en décrocher la mâchoire.

— Je vais aller me coucher.

— Déjà ? fait papa, étonné.

— Oui, je me sens comme un zombi.

J'ai soif aussi, mais je ne le mentionne pas.

C'est cependant difficile de tout cacher à papa. Son appartement est minuscule. Il n'y a qu'une seule salle de bains et elle est située à côté de sa chambre. Il m'entend donc me lever plusieurs fois pendant la nuit pour aller boire.

Une de ces fois-là, papa m'attend à la porte et me demande :

— Est-ce que tu te sens bien ? Je pense qu'on n'aurait pas dû faire venir ces trucs salés.

— Oh ! mon estomac va très bien. C'est juste que je bois sans arrêt.

— On devrait vérifier ton taux de sucre, fait papa en fronçant les sourcils.

— Maintenant? (Il est trois heures du matin.) Je tombe de sommeil. Demain, papa.

Mais le lendemain, je bois toujours comme un trou et papa ne me suggère même pas de vérifier mon taux de sucre. Il dit seulement:

— Je pense que c'est le temps d'appeler le médecin, tu ne crois pas?

Je hoche la tête. Je sais que quelque chose va vraiment très mal et je n'arrive plus à le cacher.

Papa court au téléphone. Comme il ne parvient pas à rejoindre mon médecin, nous sautons dans un taxi et nous nous rendons à l'hôpital le plus rapproché.

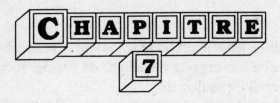

CHAPITRE 7

Dimanche

J'ai gardé Charlotte Jasmin hier soir. Au début, j'ai eu peur qu'elle veuille jouer aux Martiens encore une fois. Mais non, elle préférait jouer au jeu de Mémoire. Parfait pour moi, j'y excelle. Nous étions donc deux partenaires de force assez égale. Je pense que j'aurais dû m'inquiéter pour Sophie, car lorsque j'ai reçu un appel de madame Ménard, j'ai été passablement surprise.

Samedi a été une très bonne journée pour Claudia; c'est du moins ce qu'elle m'a dit lorsqu'on a eu la chance de se parler après mon admission à l'hôpital. Le taxi nous a donc conduits, papa et moi, vers un des meilleurs hôpitaux de Toronto. Mais, étant une habituée de tous les genres d'institutions hospitalières, je peux vous dire que... la nourriture y est *infecte*. Je pourrais même dire qu'en comparaison ce qu'on nous sert à la cafétéria de l'école est de la fine cuisine. Ici, tout ce qui peut être enveloppé individuellement l'est: une tranche de pain, un jus, etc. Je regarde mon plateau après un repas et il est pratiquement enseveli sous des piles de plastique et de papier aluminium.

Quel gaspillage!

Si un hôpital engendre tant de détritus, comment l'environnement va-t-il s'en sortir? Comment... Oups. Je crois que je suis en dehors du sujet. Je parlais donc de Claudia et de sa journée. Tout a commencé par le cours de céramique. Madame Bourque, le prof, choisit le vase de Claudia pour le montrer en exemple à tous les élèves. De la vitamine pour l'ego de Claudia!

L'après-midi, Claudia étudie pour un examen de français. Sa sœur Josée lui fait répéter sa leçon et Claudia réussit à épeler correctement dix-sept mots sur vingt. Un record!

Puis, elle part chez les Jasmin. La première chose que Charlotte lui demande lorsqu'elle entre, c'est:

— Jouons au jeu de Mémoire, Claudia, veux-tu?

— D'accord.

Charlotte entraîne Claudia dans le salon.

— Assois-toi ici, fait Charlotte en lui montrant le tapis. Je vais chercher mon jeu dans ma chambre.

Elle revient quelques instants plus tard avec une boîte de petites cartes carrées qu'elle vide par terre entre Claudia et elle. Claudia regarde l'une des cartes.

— Ce jeu est différent de ceux que j'ai déjà vus, commente-t-elle.

— Oui, fait Charlotte. Au lieu de réunir deux cartes identiques, comme deux ballons, il faut regrouper la maman animal avec son bébé. Une chatte avec son chaton, une chèvre avec son chevreau. Tu comprends?

— Oui, répond Claudia. Ce sera amusant.

— Oh, oui! s'exclame Charlotte. J'ai battu maman deux fois aujourd'hui. Commençons vite.

Charlotte et Claudia prennent plusieurs minutes pour mélanger les cartes, les retourner face contre le tapis et les disposer en rangées bien droites.

— Tu peux commencer, Claudia, dit Charlotte, lorsque tout est prêt. C'est la première fois que tu joues.

— D'accord, fait Claudia en retournant deux cartes au hasard.

— Un chiot et un poulet. Pas bon! crie Charlotte.

Claudia remet les deux cartes dessous, puis c'est au tour de Charlotte d'essayer de faire la paire. Pas de chance.

Le jeu continue. Les forces sont à peu près égales. Charlotte est très brillante et Claudia a une excellente mémoire visuelle. Le compte est neuf à neuf quand le téléphone sonne.

— J'y vais! crie Charlotte.

— Ça va, dit Claudia. Mais rappelle-toi de ne pas dire que tes parents sont absents. Dis seulement…

— Je sais, l'interrompt Charlotte. Je dis qu'ils ne peuvent pas venir au téléphone dans le moment, puis je prends le message.

— C'est ça, fait Claudia en souriant.

— Et ne triche pas pendant que je suis partie, lance Charlotte.

— Promis.

Charlotte court à la cuisine. Elle revient quelques instants plus tard en disant à Claudia que c'est pour elle, que c'est madame Ménard et qu'elle a la voix comme quelqu'un qui a pleuré.

— Es-tu certaine ? demande Claudia qui, sans attendre de réponse court à la cuisine. Allô, madame Ménard ?

En effet, ma mère a pleuré. Mon père l'a appelée une ou deux heures avant pour lui expliquer ce qui m'est arrivé. Elle a alors complètement perdu les pédales, puis elle s'est mise en frais de faire deux valises : une pour elle et une pour moi.

Maman a d'abord pensé sauter dans son auto et se rendre immédiatement à Toronto, mais papa l'en a dissuadée. Ce n'est pas qu'il ne voulait pas la voir, mais de conduire dans le noir alors qu'elle était inquiète était trop dangereux. Maman a donc décidé de partir le lendemain matin. (Je sais tout cela parce que papa était assis dans ma chambre à l'hôpital lorsqu'il l'a appelée.)

Ce n'est pas surprenant que maman ait paniqué. Elle et mon père savent bien que le genre de diabète dont je souffre peut dégénérer en maladie grave, même si je

suis strictement ma diète ou que je me donne régulièrement mon insuline.

Mais maman dit toujours qu'elle se sent mieux
lorsqu'elle s'occupe. Elle a donc commencé par faire
les valises. Comme j'ai apporté juste ce qu'il fallait
pour la fin de semaine, elle met quelques sous-vête-
ments supplémentaires, des robes de nuit, une robe de
chambre et quelques petites choses dans un sac.

Puis, elle fait le ménage de ma garde-robe.

Elle appelle ensuite Claudia.

Elle sait qu'elle et mes autres amies doivent apprendre ce qui m'arrive. Elles deviendraient folles si, tout à
coup, ma mère et moi disparaissions de la surface de la
terre. D'ailleurs, quand on entre à l'hôpital, notre
meilleure amie devrait être la première à le savoir.

— Bonjour, Claudia.

— Bonjour, madame Ménard. Euh... ça va?

— Pas exactement. Aussi bien te dire la vérité tout
de suite. Sophie est à l'hôpital. À Toronto.

— Oh! mon Dieu! murmure Claudia. Qu'est-il
arrivé? (En fait, Claudia m'a confié par la suite qu'elle ne
pensait pas à ce moment-là à mon diabète, mais plutôt à
un accident.)

— Le taux de sucre de Sophie a grimpé dramatique-
ment, explique ma mère.

Claudia pousse un soupir de soulagement. Elle me
voyait déjà tout enveloppée de pansements comme une
momie. Mais maman continue.

— Elle est très malade, mais les médecins ne com-
prennent pas encore pourquoi son glucose est si élevé.

Dans le moment, ils tentent de le stabiliser. Puis, ils commenceront les tests. Elle sera probablement à l'hôpital pendant un bout de temps... J'ai cru bon de t'en informer.

— Oh, oui! Je suis contente de le savoir... Je veux dire... Je suis désolée pour Sophie. Puis-je l'appeler?

— Bien sûr. Pas ce soir, parce qu'elle a besoin de repos, mais demain elle sera sûrement très heureuse d'avoir des nouvelles de ses amies. Tu peux même venir lui rendre visite samedi ou dimanche prochain si tes parents consentent.

Après lui avoir donné le numéro de téléphone de l'hôpital, maman lui dit qu'elle part le lendemain matin pour Toronto, qu'elle aimerait que Claudia prenne en note les travaux scolaires que je dois faire, puis promet de lui donner régulièrement de mes nouvelles.

Lorsqu'elle raccroche, Claudia tente d'expliquer doucement à Charlotte que je suis entrée à l'hôpital. Tout le monde sait à quel point Charlotte m'est attachée.

— Qu'est-ce qu'elle a? demande Charlotte, horrifiée.

— C'est encore son diabète.

— Oh!

Puis, comme l'avait prévu Claudia, Charlotte éclate en larmes. Claudia la prend dans ses bras pour la calmer et la rassurer. Ensuite, Charlotte et Claudia me préparent un petit cadeau d'amitié: un livre de mots croisés, un dessin de Charlotte et quelques petites choses. Claudia lui promet de me poster le tout lundi matin. Charlotte passe le reste de la soirée à poser des questions du genre «Est-ce que Sophie va mourir? Est-ce qu'elle va rester toujours à Toronto?»

Pauvre Claudia! Elle a la tâche de répondre à des questions sans réponses et d'appeler les autres membres du Club pour leur annoncer la mauvaise nouvelle.

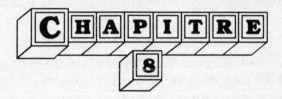

CHAPITRE 8

Dimanche matin, vers midi, maman entre dans ma chambre d'hôpital. J'y suis depuis vingt-quatre heures. Papa est resté tout le temps avec moi, sauf quelques heures au petit matin où il est rentré pour prendre un peu de sommeil et changer de vêtements. Je lui ai bien dit qu'il n'avait pas à rester avec moi, mais quand il m'a répondu qu'il y tenait, j'étais bien contente. Ceux qui ont déjà été hospitalisés me comprendront. Voyez-vous, quelle que soit la bonne volonté des médecins, des infirmières et de tout le personnel hospitalier, la plupart des institutions de ce genre sont des endroits très impersonnels. Du moins à mes yeux. On aura beau engager des clowns pour venir nous visiter, ou décorer les salles de ballons et d'affiches, un hôpital reste un hôpital.

• Il y a tellement de médecins et d'infirmières qu'on ne peut se rappeler tous les visages. (Mon propre médecin est à l'extérieur de Toronto pour deux semaines.)

• Tu te demandes si les infirmières et les médecins savent qui tu es. (Suis-je vraiment Sophie Ménard — une personne — ou la patiente de la chambre 322?)

• Tu n'as plus aucune intimité. Toute la journée, tu es dérangée par des gens souvent inconnus, et touche ici, touche là. Et la nuit venue, les infirmières se succèdent à heures fixes auprès de ton lit. Comme la porte de ta chambre reste ouverte, il y a toujours de la lumière. En plus de ça, tu entends constamment les pas feutrés des infirmières qui vont et viennent dans le corridor, et si l'une entre dans ta chambre, tu sais alors qu'elle va prendre ta température ou autre chose.

Pour toutes ces raisons et beaucoup d'autres, je suis contente que papa reste avec moi. Lui, au moins, il sait qui je suis vraiment.

Comme je l'ai dit avant, maman est donc arrivée.

— Maman! m'exclamé-je en l'apercevant.

— Bonjour, ma chérie, me répond-elle, les yeux brillants de larmes, en se penchant pour m'embrasser.

Elle me sourit enfin et mon regard passe d'elle à papa. Quand avons-nous partagé la même pièce tous les trois la dernière fois? Je ne sais pas, mais quel bonheur!

Ça ne dure pas longtemps toutefois.

Dès que maman a enlevé son manteau et s'est assise, papa se lève subitement.

— Je prendrais bien du café, dit-il en quittant la chambre à grands pas.

Maman et moi sommes seules.

— J'espère que ma chambre n'est pas trop à l'envers.

Maman semble un peu perplexe. Elle regarde autour d'elle.

— Tu n'es arrivée qu'hier, Sophie, dit-elle. Tu n'as pas eu le temps de la chambarder.

— Non, je parle de ma chambre chez papa. On a peine à y trouver le lit. J'ai des vêtements partout...

— Ma chérie, m'interrompt gentiment maman, je n'ai pas vu ta chambre. Je demeure pour l'instant chez les parents d'Hélène.

— Tu habites chez les parents d'Hélène! *Pourquoi?*

— Parce que, répond maman calmement, ton oncle et ta tante sont à l'extérieur de la ville.

— Pourquoi ne restes-tu pas chez papa?

— Sophie, ton père et moi sommes divorcés.

— Je sais bien que vous l'êtes, dis-je, agacée. Mais est-ce que ça veut dire qu'on ne peut pas se retrouver sous le même toit?

— Dans notre cas, c'est bien ça.

Je pense qu'elle allait ajouter quelque chose, mais elle change d'avis et s'arrête de parler.

— Regarde mon bras, dis-je pour faire diversion. Ils n'arrêtent pas de me prendre du sang pour des tests et je dois uriner dans un petit gobelet de plastique pour d'autres tests. C'est pas très gai... As-tu parlé aux médecins?

— Pas encore. Ton père l'a fait, cependant, mais personne n'en sait beaucoup plus qu'hier.

J'imagine que c'est pour ça que les infirmières et les médecins font la navette dans ma chambre plus que d'habitude. Non seulement testent-ils mon sang et mon urine, mais ils surveillent aussi le fonctionnement de mes reins. Ils ont élevé mes doses d'insuline, mais ça ne semble faire aucune différence.

— Pas encore, mais ça ne sera pas long, me dit maman.

Je hoche la tête. Je suis inquiète.

Lorsque papa revient, une heure et demie plus tard (la tasse devait être grosse), maman se précipite à l'extérieur de ma chambre, disant que c'est son tour d'avoir besoin de café.

— Papa, dis-je, dès que maman est sortie, tu n'as pas besoin de rester avec moi.

— Je le sais bien, mais...

— Non, vraiment, ça va. J'ai besoin de dormir un peu, je suis fatiguée. Pourquoi n'irais-tu pas à la maison un petit bout de temps?

— Eh bien...

— J'ai besoin de mon carnet d'adresses et de dentifrice, lui dis-je.

— D'accord.

Je suis seule. Je n'ai besoin ni de mon carnet d'adresses ni de dentifrice, mais j'ai envie de réfléchir en privé. Je m'installe plus confortablement et me mets à penser à mes parents.

Je regarde d'abord autour de moi. Je repose dans une chambre privée; j'ai souvent eu à partager ma chambre d'hôpital avec un, deux et même trois autres enfants malades. Les chambres privées sont plus petites, mais on s'y sent plus à l'aise. Il est vrai que les infirmières, les médecins et tout le personnel y passent sans arrêt, mais au moins on n'a pas à endurer en plus les autres patients et leurs visiteurs.

J'ai un lit (comme de raison, c'est le meuble le plus utile dans une chambre d'hôpital). Ces lits peuvent prendre différentes positions. Le jour, on en soulève la tête pour s'asseoir. Tous les draps et les couvertures portent le nom de l'hôpital; je me demande pourquoi. Est-ce qu'ils pensent qu'un patient voudrait garder un tel souvenir de son passage dans leur établissement? Ensuite, un appareil télé est fixé au plafond. Ont-ils peur qu'on le vole? On ne peut toujours pas le glisser sous notre manteau. Enfin, je suis quand même heureuse d'avoir la télé, même si j'attrape un torticolis à force de la regarder.

Je jette un œil par la fenêtre. Je n'aperçois qu'un vieil édifice gris de l'autre côté de la rue et deux pigeons qui se pourchassent. Pour la première fois, je commence à vraiment m'inquiéter. Est-ce que je suis ici à cause de tout ce sucre que j'ai mangé récemment? Mais il me semble que je n'allais pas tellement mieux avant. Où en suis-je avec ma maladie? Pourquoi changer la quantité d'insuline? Et si j'avais toujours besoin de plus d'insuline? Et si personne ne trouvait le moyen de me donner toute l'insuline dont j'ai besoin? Et si... je mourais? Je sais que c'est extrêmement rare, mais si ça m'arrivait à moi?

Arrête de te faire des peurs, me dis-je.

Je n'y arrive pas, enfermée comme je le suis, entre quatre murs nus et plus aucun pigeon à la fenêtre. Et si les médecins…

— Salut, Sophie, fait une voix familière.

Je me tourne vers la porte. C'est Hélène !

— Salut ! Entre.

Hélène sourit et se laisse tomber sur une des deux chaises de plastique.

— Comment as-tu réussi à monter ?

— Eh ! j'ai plus de douze ans, réplique Hélène. Je me suis tout simplement mêlée à un groupe de visiteurs qui prenaient l'ascenseur. Puis je suis descendue à ton étage… Comment te sens-tu ?

— Soulagée, je crois. Enfin, pas tout à fait, parce que je m'inquiète de mon état, mais je suis contente de voir que des médecins s'occupent de moi.

— Parfait, fait Hélène d'une voix douce. Maintenant, attends de voir ce que je t'ai apporté !

— Quoi ? demandé-je, pas trop rassurée. (Un jour, elle m'a donné un porte-clés en forme d'affreuse cigale, grosse et verte, qui émettait un cri strident quand on lui pressait l'abdomen.)

— D'abord, ces merveilleuses fleurs, commence Hélène en ouvrant le gros sac qu'elle avait déposé sur le plancher.

Elle me tend un bouquet de tulipes bleues en plastique. Je les mets dans un pot à eau vide.

— Elles ne demandent aucun soin : ni eau ni lumière. Tu enlèves la poussière de temps à autre, et c'est tout.

— D'accord, dis-je en riant.

— Ensuite, fait Hélène en me tendant une petite boîte, ceci.

Je soulève le couvercle. Dans la boîte, une grosse araignée brune en plastique portant des lunettes de soleil rouges. Hélène remonte le ressort et laisse l'araignée déambuler sur ma table de chevet.

— Affreux! m'exclamé-je en regardant la bestiole qui vient de tomber par terre.

— Et ceci encore, ajoute Hélène en me tendant une grande carte de «Prompt rétablissement» aux couleurs criardes.

— Merci! dis-je.

— Et pour finir, j'ai appelé Claudia ce matin et tes amies tenaient une réunion d'urgence. Marjorie dit qu'elle pense à toi. Anne-Marie et Diane s'ennuient de toi. Christine te demande de te remettre vite car Diane n'est pas fameuse comme trésorière. Jessie a promis de t'écrire et Claudia ramasse tous les devoirs que tu as à faire... et tu lui manques affreusement.

Lorsque Hélène me quitte, je me sens toute revigorée.

CHAPITRE 9

Mercredi matin.

Je commence ma quatrième journée à l'hôpital. Mon taux de sucre a baissé, mais les médecins ne sont pas encore satisfaits. Ils me donnent de fortes doses d'insuline et je me sens mieux. Je suis moins fatiguée et j'essaie de vivre normalement, comme me l'a conseillé maman. C'est-à-dire ne pas flâner au lit, m'habiller et m'occuper un peu. Pas de grasses matinées. De toute façon, c'est assez difficile de dormir ici, étant donné le va-et-vient constant. À quoi ressemble une de mes journées? Je vais vous le dire.

Mercredi matin, je suis sur pied à sept heures, dès que mon réveil sonne. Je me lave comme je peux dans ma minuscule salle de bains, puis je m'habille.

À sept heures et demie, je retourne dans mon lit et commence mes devoirs. Maman dit que de m'habiller et de mener une vie normale va faciliter mon séjour à l'hôpital. Et c'est vrai.

Vers huit heures, un chariot s'amène. C'est le temps des signes vitaux : pression artérielle (j'ai appris depuis le temps que l'appareil dont on se sert est un sphygmo-manomètre), température, pouls.

— Tout va bien, dit l'infirmière une fois qu'elle a terminé.

— Bravo, dis-je.

Je retourne à mes travaux scolaires et suis de nouveau interrompue par une auxiliaire qui m'apporte le plateau du déjeuner. Je commence à me convaincre d'attaquer cette nourriture dégoûtante lorsque maman arrive.

— Bonjour, Sophie, fait-elle en s'assoyant dans un fauteuil.

— Bonjour !

— Comment vas-tu aujourd'hui ?

— Pas mal. Mais je sais que les médecins vont encore essayer d'ajuster mon insuline.

— Tu es ici pour cela.

— Je sais.

— As-tu travaillé ce matin ?

— J'ai essayé, mais je suis tout le temps interrompue : signes vitaux, déjeuner…

— Et moi.

— Non, pas toi, dis-je, mais je vois maman qui sourit. Est-ce que papa vient aujourd'hui ?

— Je ne pense pas, répond-elle. Enfin, il viendra peut-être plus tard. Il a beaucoup de travail, mais je vais rester avec toi.

— Tu n'es pas obligée, tu sais. J'ai des devoirs et je me sens beaucoup mieux.

— D'accord.

En fait, maman s'en va pendant quelque temps. Elle décide de prendre un café en ville, puis me dit qu'elle a une mission secrète. (J'espère que ça comprend une visite dans quelques magasins que j'adore.)

Une aide vient enlever le plateau du déjeuner et je suis ensuite interrompue par un groupe de médecins dont je ne reconnais qu'un seul. Il se met à parler et les autres prennent des notes. J'imagine que ce sont des étudiants ou de jeunes médecins accompagnés de leur professeur.

Celui-ci me salue, puis il se tourne vers sa classe.

— Cette patiente est une jeune fille de treize ans (il ne leur dit même pas mon nom!) qui souffre d'une rechute de diabète. Elle est entrée samedi dernier alors que son taux de sucre était anormalement élevé en dépit du fait qu'elle prenait régulièrement de l'insuline et suivait une diète stricte…

Le docteur continue comme cela très longtemps. Les élèves gribouillent sur leur tablette et me lancent parfois des regards de biais. Je me sens comme un poisson dans son bocal ou un animal en cage.

Ils me quittent enfin après ce qui me semble une éternité. Je me réinstalle pour travailler. Je réussis à finir un devoir même si une infirmière vient me prélever du sang. Après un dîner d'une fadeur terrible, je me remets au travail. Maman arrive en fin d'après-midi avec un beau chandail vert émeraude et un béret assorti.

— Oh, merci, maman!

J'essaie les deux morceaux et maman reste avec moi

une petite heure avant de repartir. Je crois qu'elle a peur de rencontrer papa.

Vers dix-sept heures, je suis toute seule. Le téléphone sonne. C'est Claudia. Après quelques propos drôles, cette dernière me demande comment je vais.

— Je me sens beaucoup mieux, mais je devrai rester encore quelque temps, dis-je.

— Les autres membres du Club sont avec moi et veulent te dire bonjour.

— Tout le Club est là? Mais il n'est que dix-sept heures.

— Je sais. Nous nous sommes réunies plus tôt pour te parler.

— Avec quel argent allez-vous payer cet appel?

— Avec celui des cotisations, si tu permets.

— J'imagine que j'en vaux la peine, dis-je en soupirant.

Claudia pouffe de rire et c'est Christine qui prend sa place. Elle m'annonce qu'Émilie a appris un nouveau mot: puant. Maintenant, tout est puant d'après Émilie.

Je parle à mes autres amies et quand c'est le tour de Jessie, je lui demande comment va Charlotte Jasmin.

— Elle va… assez bien, me dit-elle avant de passer le combiné à une autre.

Il est maintenant dix-sept heures trente. Nous avons parlé une demi-heure. Je me demande combien cet appel va coûter au trésor du CBS. Enfin, je m'occuperai de ce problème à mon retour.

Hélène arrive dès que j'ai raccroché, mais nous

n'avons pas le temps de nous saluer parce que quelqu'un apporte un paquet en même temps.

— Un paquet! s'écrie mon amie. De qui est-ce?

Je regarde l'adresse de retour.

— C'est Charlotte!

Je déchire le gros papier brun, puis soulève le couvercle de la boîte. Je découvre à l'intérieur les choses que Claudia et Charlotte ont préparées le soir de mon entrée à l'hôpital.

— Je pense que je vais appeler Charlotte.

Je me rappelle soudain la façon dont Jessie m'a répondu tout à l'heure et je me demande soudain si quelque chose ne va pas.

Charlotte est hystérique rien que d'entendre ma voix. Mais elle devient vite inquiète. Quand vais-je sortir de l'hôpital? Quand vais-je revenir à Nouville? Est-ce que je vais vraiment revenir? Est-ce que je me sens vraiment bien ou si j'essaie seulement d'être polie?

— Est-ce que les gens meurent de diabète? me demande-t-elle à la fin.

Mais avant même que je puisse ouvrir la bouche, la petite lance:

— Oh! laisse faire, Sophie. Je vais demander à maman.

Je change de sujet de conversation et la remercie pour toutes les choses qu'elle m'a envoyées. Après avoir raccroché, je dis à Hélène:

— Je pense que j'ai un sérieux problème avec Charlotte.

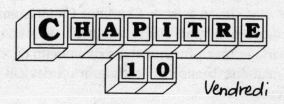

CHAPITRE 10

Vendredi

Sophie avait raison... enfin à moitié
raison. Il y a un problème avec
Charlotte. Mais ça ne regarde pas
uniquement Sophie. Il nous regarde
toutes. Il est heureux que Sophie ait
appelé Claudia le lendemain de son
appel à Charlotte pour lui expliquer ce
qui se passait. Claudia m'a aussitôt
mise au courant parce que j'allais la
garder le soir même. Je suis arrivée
chez les Jasmin prête au pire. Ce n'était
quand même pas comme d'aller garder
notre désastre ambulant, Jérôme
Robitaille. Mais comme ça me troublait,
j'en ai parlé aux Jasmin lorsqu'ils sont
revenus de leur réunion. Ils s'inquiètent
eux aussi, mais ils pensent que la solution,
c'est d'attendre. D'attendre que Sophie
revienne à Nouville, guérie, et que
Charlotte constate que tout est normal.

Diane n'a jamais beaucoup gardé chez les Jasmin, mais elle connaît Charlotte par tout ce qu'elle a entendu ou lu dans le journal de bord. Comme elle l'a écrit dans ses notes, Claudia l'a appelée après la conversation que j'ai eue avec elle au sujet de Charlotte. Connaissant son attachement pour moi, Diane a tout de suite compris que Charlotte réagit fortement à mon bulletin de santé. Elle a peut-être beaucoup de chagrin ou devient plus capricieuse.

Diane ne s'attend cependant pas à trouver une petite fille tout à fait hypocondriaque, même si les Jasmin l'en ont avertie.

— Je l'ai gardée à la maison deux jours d'affilée, cette semaine, dit le Dr Jasmin à Diane.

Diane vient d'arriver et s'attendait à voir la petite lui ouvrir, mais pas de Charlotte. Monsieur Jasmin, sa femme et Diane tiennent un conciliabule dans l'entrée.

— Mais est-elle malade ? demande Diane.

— Je ne pense pas. Un jour, elle affirme souffrir de la gorge, le lendemain, c'est son estomac. Maintenant, elle dit avoir mal à la tête et aux oreilles. Elle ne fait pas de température et son appétit reste égal.

— Bon, fait Diane. Je veillerai à ce qu'elle ne se fatigue pas trop, au cas où elle serait vraiment malade.

— Tu n'auras pas de mal, dit monsieur Jasmin. Elle est couchée et je crois qu'elle veut passer la soirée au lit.

Une fois les Jasmin partis, Diane monte au deuxième, sa trousse à surprises à la main.

— Charlotte ? fait-elle en arrivant près de la chambre de la petite.

— Bonjour, Diane.

Il n'est que dix-neuf heures trente et Charlotte est déjà en robe de nuit, assise par-dessus les couvertures à feuilleter un livre.

— Comment te sens-tu? demande Diane.

Charlotte ne répond pas tout de suite.

— J'ai mal dans le cou, se plaint-elle après quelques instants.

— Au cou? Je croyais que tu avais mal à la tête et aux oreilles.

— C'est vrai, et maintenant ça fait mal dans mon cou.

— As-tu toujours mal à la tête et aux oreilles ou si c'est parti?

— Je pense que je n'ai plus mal. C'est seulement mon cou... J'espère qu'il n'y a pas un nerf pincé dans ma colonne.

— Un nerf pincé! Qu'est-ce que tu connais là-dedans?

— J'en sais beaucoup. Ma mère est médecin, tu sais.

— Oh! Eh bien, fait Diane en s'assoyant au pied du lit, comment ce malaise est-il arrivé?

— Je ne sais pas, dit Charlotte en haussant les épaules. Je devrais le dire à maman. Je vais peut-être porter un de ces cols qui empêchent de bouger... et si ça ne m'aide pas, je devrai peut-être aller à l'hôpital pour me faire opérer.

— Pour le moment, conclut Diane, pourquoi ne resterais-tu pas immobile?

— D'accord, répond Charlotte, incertaine.

— Que veux-tu faire, ce soir? As-tu fini tes devoirs?

— Oui, mais de toute façon, je n'irai probablement pas à l'école demain.

— Ouais, avec ce nerf pincé et tout le reste... Nous allons donc rester tranquilles.

— Parfait. Je ferais mieux de ne pas me surmener.

— Tu ferais mieux de ne pas *quoi*?

— Me surmener, répète Charlotte. Ça veut dire...

— Je sais ce que ça veut dire, l'interrompt Diane. C'est juste que je me demande comment toi tu le sais.

— Maman dit ça parfois.

Charlotte a sorti de la trousse à surprises un vieux livre qui appartenait à la mère de Diane.

— Ma mère l'a trouvé et me l'a donné, explique Diane. L'histoire est un peu démodée, mais je crois que tu l'aimeras.

— D'accord, dit Charlotte. Lisons-la.

Diane ouvre le livre et commence la lecture qui intéresse Charlotte dès les premières lignes. Après une dizaine de minutes, Charlotte se plaint de ne pas se sentir bien.

— Est-ce encore ton cou? demande Diane. Pourquoi ne restes-tu pas étendue?

— Non, c'est mon estomac, fait Charlotte en secouant la tête. On dirait que ça brûle. Je crois que je fais un ulcère.

Diane essaie de trouver rapidement une réponse appropriée.

— Les personnes de ton âge ne font jamais d'ulcères, finit-elle par dire. Si ça t'arrive, ce sera très rare. Qu'as-tu mangé au souper?

— Diane, je ne fais pas une indigestion! lance Charlotte, indignée.

— Bon, est-ce que ça brûle vraiment beaucoup?

— Pourquoi? demande Charlotte.

— Parce que je me dis que je devrais peut-être appeler tes parents pour vérifier si je peux te donner un alcalin.

— Oh, non! Ce ne sera pas nécessaire. Mais… je me sens tellement fatiguée et j'ai toujours très soif. Penses-tu que je fais du diabète… comme Sophie?

Et quoi encore? se demande Diane. Mal de gorge, nerfs pincés, ulcères, diabète. Elle ne croit pas que Charlotte soit vraiment malade, mais comment le lui faire comprendre? Diane a alors une idée.

— Non, je ne pense pas que tu fasses du diabète, fait vivement Diane. Charlotte, as-tu toujours ta petite trousse de médecine?

— Oui, elle est dans mon coffre.

— J'imagine que tu as besoin d'un bon examen avant que j'appelle tes parents, dit Diane en sortant la trousse qu'elle dépose sur le lit de la petite.

— Mais… commence Charlotte.

— Il n'y a pas de mais, réplique Diane. Je dois d'abord écouter ton cœur.

Diane tient le stéthoscope de plastique sur la poitrine de Charlotte, lui met le faux thermomètre sous la langue et utilise même quelques autres instruments.

— Tu es en parfaite santé, déclare-t-elle après quelques minutes.

— Est-ce que je peux parler maintenant? demande Charlotte.

— Oui.

— Diane, ce n'est qu'une trousse-jouet. Et tu n'es même pas médecin.

— Est-ce qu'on reprend notre lecture? soupire Diane.

— Oui, même si je crois que je fais du diabète et peut-être aussi de l'anémie.

Diane passe l'heure suivante à essayer de convaincre Charlotte qu'elle n'est pas malade. Rien n'y fait. Finalement, elle explique à la petite qu'une malade a besoin de beaucoup de repos et la met au lit. Puis elle descend sur la pointe des pieds et travaille à ses devoirs jusqu'à l'arrivée des Jasmin.

— Comment a été Charlotte? demande monsieur Jasmin.

— Bien, reprend Diane en ramassant tous ses livres, si on ne compte pas son nerf pincé, son ulcère, son diabète et peut-être son anémie.

— Humm, fait madame Jasmin en échangeant un regard avec son mari.

— J'espère que j'ai bien agi, dit Diane après avoir expliqué la façon dont elle s'est occupée de Charlotte.

— Ça me semble parfait, dit monsieur Jasmin.

— Euh... est-ce que je peux poser une question? demande Diane.

— Bien sûr.

— Pourquoi pensez-vous que Charlotte réagit de cette manière? Est-ce que cela a un rapport avec l'hospitalisation de Sophie?

— Nous n'en savons trop rien nous-mêmes, dit le Dr Jasmin. Charlotte s'ennuie beaucoup de Sophie. Je me demande si elle ne pense pas inconsciemment que le fait d'être malade à son tour va la conduire à l'hôpital aux côtés de Sophie. Elle pourrait ainsi constater par elle-même que Sophie est hors de danger et aurait l'assurance qu'elle reviendra à Nouville.

— Que comptez-vous faire ?

— Nous y avons songé, dit monsieur Jasmin. Nous avons décidé d'être très patients et compréhensifs avec Charlotte. Et surtout, lui permettre d'appeler Sophie aussi souvent qu'elle le voudra.

— C'est bien, approuve Diane.

Mais elle demeure toutefois inquiète.

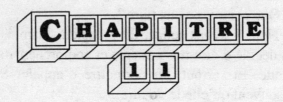

CHAPITRE 11

Vendredi matin. Ma première pensée, au réveil, c'est « Oh, non ! Ça recommence. »

Quoi ? me demandé-je sans trouver de réponse. Je sais seulement que je suis dans mon lit et, même si j'ai dormi près de neuf heures, je me sens toujours terriblement fatiguée, comme si je ne pouvais plus bouger.

Impatiemment, j'arrête mon réveil que je regarde haineusement. Je n'arrive pas à me lever. Je me sens abattue. Juste l'idée de m'habiller et de faire quelques devoirs me rend malade.

Je sonne une infirmière. Cinq minutes plus tard, il y en a une qui entre en trombe dans ma chambre, non sans avoir vérifié mon nom sur la porte. Elle ne me connaît même pas. J'aimerais tellement être avec quelqu'un qui sache qui je suis.

La peur me prend.

Je lis sur son uniforme : Marlène Doré. Un prénom d'actrice.

— Sophie ? demande Marlène.

Je ne sais pas si elle veut que je lui confirme mon identité, mais qu'importe.

— Je ne me sens pas bien, lui dis-je. Ces jours derniers, j'allais de mieux en mieux, mais maintenant… je pense que je ne suis même pas capable de descendre de mon lit.

Le tableau n'est pas reluisant. Mais quand Marlène me demande si je désire aller aux toilettes et que je dis oui, elle m'apporte une *bassine*. Une bassine toute froide et gênante.

Et elle reste avec moi tout le temps que je m'en sers.

— Ce matin, me dit-elle ensuite, tu restes couchée. Je parlerai à ton médecin dès que possible.

— Je n'ai pas un médecin, dis-je, j'en ai des millions.

Mais je ne sais pas si l'infirmière est déjà partie ou si je rêve, mais aucune réponse ne vient.

Je retombe dans un profond sommeil, au point que je n'ai même pas eu conscience des autres examens de pure routine.

Je me réveille en entendant le bruit des plateaux du déjeuner dans le corridor. Habituellement, les repas me plaisent, pas pour leur saveur, mais ils représentent une bonne distraction. Ce matin, cependant, je n'ai le goût de rien. Je repousse ma table et retombe contre mes oreillers, sans énergie pour faire quoi que ce soit.

Lorsque maman arrive, un peu plus tard, je suis étendue dans mon lit, le plateau encore plein sur ma table.

— Ça va? s'informe-t-elle avant même d'enlever son manteau.

— Pas vraiment.

Je déteste jouer la malade avec mes parents, mais dans le moment, je suis trop inquiète pour m'en préoccuper.

— Qu'est-ce qui ne va pas, Sophie? fait maman, l'air alarmé.

— Je ne sais pas; je me sens presque aussi mal que samedi dernier.

— Je vais aller chercher un médecin, dit-elle vivement.

— Non, tu n'as pas à le faire. L'infirmière m'a dit qu'elle s'en occuperait.

— Il y a combien de temps?

— Je ne sais plus. Je me suis rendormie. Quelle heure est-il?

— Il est neuf heures, réplique maman. Le médecin devrait déjà être ici.

Elle se lève, prête à partir en guerre, lorsqu'un homme entre dans ma chambre. C'est le docteur Motz. J'ignore si je l'ai déjà vu. Probablement, d'après la façon dont il m'aborde.

— Bonjour, Sophie. Bonjour, madame Ménard. Une infirmière m'a dit que tu ne te sentais pas bien ce matin. Peux-tu me dire ce qui ne va pas?

Je passe tout près de lui rétorquer que ce serait à lui de me l'apprendre, mais je reste polie. Je lui décris donc mes symptômes. Le médecin se contente d'augmenter la dose d'insuline encore une fois et il m'envoie

ensuite un régiment de personnes qui viennent reprendre des tests à n'en plus finir.

— Ne t'en fais pas, Sophie. Je vais revenir cet après-
midi, me dit-il avant de quitter ma chambre.

— D'accord. À bientôt.

Maman et moi sommes seules de nouveau. Nous
avons passé beaucoup de temps ensemble cette
semaine. D'habitude, je faisais mes devoirs et elle lisait,
mais ce matin, elle me demande :

— Veux-tu que j'ouvre la télé ?

— Non merci, maman... Maman ?

— Oui ?

— Est-ce que papa va venir aujourd'hui ?

— Peut-être après le souper.

— Pourquoi ne vient-il jamais durant la journée ? Il
ne s'est pas montré depuis... (Je me rends compte tout
à coup qu'il ne vient plus depuis l'arrivée de maman.)
Depuis, euh, dimanche.

— Tu sais bien que ton père est un bourreau de travail, dit maman sans me regarder.

— Oui, mais il pourrait me rendre visite à son heure
de dîner. Ou quand il va à son bureau le matin.

— Peut-être, mais n'oublie pas que ton père t'aime
énormément.

— Ça ne paraît pas beaucoup de ce temps-là.

— Il t'aime tellement, continue ma mère, que je crois
qu'il est très difficile pour lui de te visiter à l'hôpital. Il
n'aime pas te voir dans cet état.

— Eh bien, je ne peux rien y faire. Je crois seulement qu'il est très égoïste.

Maman me regarde enfin. Je crois que je suis allée un peu trop loin.

— Tu n'es pas juste, Sophie. Écoute-moi bien. Veux-tu vraiment savoir pourquoi ton père ne vient pas souvent? C'est en partie à cause de ce que je viens de te dire, mais surtout à cause de moi.

— De toi?

— De ton père et de moi, en fait. Il nous est difficile de nous trouver en présence l'un de l'autre pour le moment. Comme j'ai pu laisser mon travail et que ton père ne le peut pas toujours, nous avons décidé que je viendrais le jour et qu'il se réservait les soirées.

— Oh!

Est-ce vrai? Mes parents ne peuvent pas se retrouver ensemble dans la même pièce pour une petite demi-heure? Ce n'est pas surtout le fait que mon père ne vienne pas souvent qui me chagrine, mais le fait que mes parents et moi ne puissions être réunis de nouveau en famille... au moins quand je suis malade.

— Ouvre donc la télé, s'il te plaît, maman.

Je ne veux pas poursuivre cette conversation, mais je ne tiens pas à ce qu'on reste toutes les deux assises côte à côte à bouder.

Nous découvrons une vieille comédie et après quelque temps, nous nous esclaffons. La discussion est oubliée... enfin, pas oubliée mais terminée.

Hélène vient me voir dans l'après-midi, dès la fin de ses classes, comme les trois derniers jours. Je sais qu'elle est surprise de me trouver dans mon lit, encore en robe de nuit, les cheveux défaits, car elle ne peut cacher ses sentiments. Maman et moi faisons semblant que tout va bien.

Finalement, ma mère descend prendre un café afin que nous passions ensemble une heure ou deux.

— Alors? fait Hélène.

— Eh bien, je ne me sens pas très en forme.

— Tu iras peut-être mieux demain.

— Peut-être.

— Je t'ai apporté quelque chose, dit Hélène en me tendant une boîte.

— Encore? dis-je en souriant.

— Ouvre, me dit mon amie.

Dans la boîte, je trouve un miroir en plastique tout ordinaire. J'avais déjà mentionné que j'aimerais bien un miroir dans ma chambre, mais je suis étonnée que Hélène m'offre quelque chose d'aussi pratique.

— Regarde-toi, me suggère-t-elle.

Je le lève devant mon visage… et le miroir se met à me rire au nez! Tout comme Hélène.

— Je l'ai trouvé au même endroit que l'affreuse cigale, tu te rappelles?

Nous passons deux heures à encourager tous ceux qui entrent dans ma chambre à se regarder dans le miroir.

Une infirmière en devient blanche de surprise.

Lorsque maman et mon amie sont parties et que j'attends papa, je me sens mieux, du moins émotivement.

Mais ça ne dure pas. Le Dr Motz revient me voir après souper.

— Sophie, me dit-il gravement, demain nous allons entreprendre un nouveau traitement. Je dois d'abord en parler à tes parents, mais je crois qu'ils vont accepter.

— Qu'est-ce que vous allez faire ? dis-je d'une voix tremblante.

— Te mettre sous perfusion pendant un certain temps. Je veux vérifier comment tu réagiras si de l'insuline circule constamment dans tes veines.

— Il ne manquait plus que ça ! dis-je.

Lorsque le Dr Motz quitte ma chambre, je fonds en larmes.

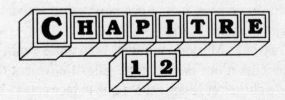

CHAPITRE 12

— La voilà !

— Non, ce n'est pas elle.

— C'est écrit Sophie Ménard sur la porte.

Est-ce que je rêve ? C'est samedi, j'en suis sûre. J'ai fait des cauchemars toute la nuit après que l'infirmière m'a installé l'appareillage à perfusion. Et maintenant, je jurerais entendre les voix de mes amies de Nouville. Pourquoi seraient-elles à Toronto ?

— Oh, mon Dieu ! dit l'une. Elle a une aiguille dans le bras !

— CHUT ! dit une autre.

— Elle dort, chuchote une autre voix.

— Non, je ne dors pas, dis-je en ouvrant péniblement les paupières.

Je me retrouve nez à nez avec Claudia, Diane, Anne-Marie et Christine !

— Êtes-vous vraiment ici ?

— En chair et en os, dit Claudia.

Mes amies se regroupent autour du lit pendant que je sors des nuages. Elles ont un air resplendissant.

— Nous avons pris le train, très tôt ce matin, m'informe Diane.

— Et on ne s'est même pas perdues en arrivant à la gare, ajoute Anne-Marie.

— Jessie et Marjorie auraient bien aimé venir, mais leurs parents n'ont pas accepté. Elles t'envoient toutes sortes de choses et Jessie espère que tu recevras sa lettre.

— Oh! Je n'arrive pas à y croire! m'exclamé-je. Je pensais que je rêvais, mais mon rêve est devenu réalité.

— Oh! là là! L'hôpital t'a rendue attendrissante, dit Christine.

Je ris. Si j'avais assez d'énergie, je lui lancerais un oreiller. Au lieu de ça, j'essaie de m'asseoir en regardant tout ce qui est étalé sur mon lit.

— Vous me gâtez, dis-je. Qu'est-ce que vous avez apporté?

— Des tas de choses, réplique Claudia. Mais avant de les déballer, dis-nous comment tu te sens. On dirait que tu n'es pas la même que jeudi.

— Je ne me sens pas aussi bien que jeudi, c'est vrai. On m'injecte maintenant de l'insuline au goutte-à-goutte. Ça fera peut-être une différence. Mais ne parlons pas de cela, les filles. Je veux savoir comment vous vous débrouillez et ce qui arrive à Nouville.

— D'accord, réplique Claudia en se juchant sur mon lit à côté de Diane.

Christine et Anne-Marie ont pris place sur les deux chaises de la chambre.

— D'abord, poursuit Claudia, tu manques à tout le monde. En ouvrant les cartes, tu vas être surprise de voir de qui elles viennent. Les gens se demandent quand tu vas revenir.

— Comme qui, par exemple ?

— Tout le monde. Les Mainville, surtout Jonathan ; les Seguin, surtout Myriam et Gabrielle ; nos amis de l'école, y compris… *Robert Bruneau* ; monsieur…

— Robert Bruneau ? (J'ai le béguin pour lui.) Est-ce qu'il sait que j'ai un faible pour lui ?

Claudia hausse d'abord les épaules, puis sourit en disant :

— Il a la même faiblesse que toi.

Youpi…

— Marjorie est allée chercher le courrier pour toi et ta mère, dit Anne-Marie.

— Et qu'est-ce qui se passe à l'école ?

— Colette a eu une chirurgie plastique du nez.

— Quoi ? Vous blaguez !

— Non. C'est la raison pour laquelle elle était absente.

— Et de quoi a-t-elle l'air ?

— De quelqu'un qui a eu une chirurgie du nez, dit Christine. Ça paraît toujours.

— C'est drôle. Vous n'avez jamais remarqué la mienne.

— *Ta* chirurgie… fait Christine en pâlissant.

— Je blaguais.

Il y a un moment de silence, puis nous pouffons toutes de rire. J'ai même peur qu'une infirmière vienne chasser mes amies. Mais rien de tel n'arrive.

— Ouvre tes paquets maintenant, me commande Claudia. Les cartes d'abord.

— Oui, maman, dis-je, docile.

J'ouvre toutes les cartes, l'une après l'autre. Au milieu de cette tâche, une infirmière vient encore me prélever du sang. Il est interdit d'avoir quatre visiteurs à la fois, mais elle ne passe aucune remarque, pour la bonne raison que Claudia et Diane sont cachées dans les toilettes.

— Le champ est libre, lancé-je, une fois que l'infirmière est sortie.

Je continue alors d'ouvrir mes cartes. Je n'en ai jamais tant vu! Il y en a des enfants qu'on garde, des amis de l'école, des parents de certains enfants et même trois de mes professeurs.

— Les cadeaux maintenant! crie Claudia.

— Non, attends, dit Anne-Marie. Tu te rappelles… ajoute-t-elle en regardant Claudia et en pointant le corridor du doigt.

Claudia sort et revient aussitôt avec la plus grande carte au monde.

Mais voilà que je commence à me sentir étourdie et la seule pensée d'ouvrir des cadeaux me rend malade. J'essaie de le cacher à mes amies.

— Oh! là là! m'exclamé-je. De qui est cette carte?

— De tout le monde, répond Christine.

Et c'est vrai. La carte a été signée par des parents, des professeurs, des enfants, les frères et les sœurs de mes amies et, bien sûr, mes amies elles-mêmes.

Je me confonds en remerciements lorsque l'infirmière de tout à l'heure refait son apparition. Diane et Claudia n'ont pas le temps de se cacher, mais l'infirmière ne les remarque même pas. Elle ferme le goutte-à-goutte sans me retirer l'aiguille du bras.

— Que faites-vous ? crié-je.

— Ton taux de sucre est anormalement bas, réplique l'infirmière. Le Dr Motz arrive et on a appelé ta mère à la cafétéria.

Tout en l'écoutant, j'entends qu'on appelle le Dr Motz à l'interphone.

Claudia et Diane sont debout ; Christine et Anne-Marie se lèvent à leur tour. Elles reculent toutes les quatre vers la porte.

Personne ne dit mot.

Maman arrive quelques secondes plus tard en courant.

— Salut, les filles ! Mais d'où venez-vous ? demande-t-elle subitement, sans attendre la réponse.

Elle se met plutôt à chuchoter avec l'infirmière.

Je sens une sueur froide envahir mon corps. Je sais que quelque chose ne va pas.

Le Dr Motz arrive au même moment.

— Tout le monde dehors. Tout de suite.

Il commence alors à m'examiner et à parler avec l'infirmière.

— On te verra plus tard, dit Claudia d'une voix tremblante.

— Oui, on va attendre dehors qu'on nous permette de revenir, ajoute Christine.

— Merci pour les cartes et…

Mes paroles se perdent car je vois mes amies disparaître, voulant échapper au Dr Motz. Mais j'ai eu le temps de lire quelque chose d'affreux sur leur visage : la peur.

Elles ont peur pour moi. Et moi aussi.

* * *

Le soir, je me sens beaucoup mieux et plus optimiste. Après une journée de tests et de consultations, le Dr Motz a proposé une nouvelle solution à mon problème d'insuline. Je vais commencer à m'injecter moi-même l'insuline que j'avais l'habitude de prendre, additionnée d'une autre, toute nouvelle.

Maintenant que mon taux de sucre est presque normal, je me sens plus énergique et moins étourdie. J'ai même mangé au souper.

— Maman ? dis-je après que les émotions de la journée sont passées. Est-ce que mes amies peuvent revenir maintenant ?

— Oh ! ma chérie. Je suis désolée, mais elles sont déjà parties. Leurs parents voulaient qu'elles soient de retour au début de la soirée.

Je ne réponds rien et regarde par la fenêtre.

— Claudia veut que tu ouvres tous tes cadeaux dès que tu te sentiras mieux. Elles vont te rappeler demain ou lundi pendant leur réunion du Club.

— Lundi… je croyais que je serais sortie, lundi.

— Eh bien… reprend maman, impuissante, en commençant à enfiler son manteau. Ton père sera ici d'une minute à l'autre.

Quoi? Il travaillait aujourd'hui, un samedi?

— Maman, veux-tu rester avec moi jusqu'à ce que papa arrive? J'aimerais qu'on soit ensemble tous les trois, même si ce n'est que pour cinq minutes.

— Sophie... dit maman.

— Je suis désolée, maman. Je sais que c'est difficile pour toi et papa, mais si on pouvait faire semblant d'être une vraie famille un tout petit peu... ce serait très important pour moi.

Je sais que je suis injuste. Je sais que je profite du fait que je suis malade et que maman va accepter parce qu'elle se sent coupable. Elle retire effectivement son manteau et se rassoit.

— Ce ne sera peut-être pas ce que tu souhaites, m'avertit-elle.

— Oui. Ce sera fantastique. En attendant, on pourrait peut-être regarder la télé, ou...

Je m'arrête. Maman ne m'écoute plus; elle regarde la porte. Papa arrive.

CHAPITRE 13

— Sophie! s'exclame papa en se précipitant pour m'embrasser. Comment te sens-tu? Je suis heureux qu'ils t'aient enlevé ta perfusion.

— Je vais bien. Enfin, mieux. Euh, papa, maman est encore ici. Elle va rester un moment.

— Eh bien, je peux toujours aller prendre un café.

— Non, ne pars pas! Reste avec moi. Je veux vous voir tous les deux ensemble.

— C'est bon, fait papa en allant s'asseoir sur la chaise de l'autre côté du lit, le plus loin possible de maman.

C'est un commencement, me dis-je. Il ne part pas.

Mais c'est tout ce que ça donne. Un début. La soirée est un désastre. Je ne sais plus à qui la faute incombe.

Pendant dix minutes, mes parents ne s'adressent qu'à moi. Je participe à deux conversations, l'une avec mon père et l'autre avec ma mère.

— Alors, que s'est-il passé ce matin? me demande papa.

Sans me laisser le temps de répondre, maman enchaîne aussitôt.

— Si tu avais été ici, tu le saurais.

— Je travaillais, lance papa. De plus, je croyais qu'on avait décidé de visiter Sophie séparément. Tu as dit que tu ne voulais pas me voir.

— Tu travailles le samedi maintenant? fait maman en ignorant la dernière remarque.

— Oui, et si je ne fais pas bien mon travail, je serai congédié et perdrai mon assurance. Est-ce que tu crois qu'on pourrait se payer de tels traitements pour Sophie si je n'avais pas d'assurances?

— Quel héros! marmonne maman.

— Pardon? fait papa.

— Rien.

— Rien qui ne mérite d'être répété, dis-je à mon tour.

Pendant un moment, papa et maman me regardent comme s'ils avaient oublié ma présence. Ou comme s'ils avaient oublié que j'étais leur fille. Mais ils reprennent vite leur discussion.

— Les soins que reçoit Sophie ne sont pas donnés, dit papa.

— Je le sais. Mais pourquoi l'avoir mise dans une chambre privée, aussi?

— Parce que je l'aime.

— Veux-tu dire que je ne l'aime pas?

— Tout ce que je veux dire, c'est que Sophie est arrivée de Nouville paraissant plus malade qu'elle ne l'avait jamais été.

Je sens mes joues s'enflammer.

— Et alors ? demande maman.

Elle veut forcer papa à parler, mais il reste silencieux.

— Si Sophie est tombée malade, ce n'est pas ma faute, dit finalement maman. Tu sais très bien que les médecins nous ont toujours dit qu'ils ne savaient pas à quoi s'attendre avec ce genre de diabète. Ils ont eu du mal à contrôler son taux de sucre depuis le début. De plus, elle a eu la grippe, et tu sais ce que les infections lui font. C'est un miracle qu'elle ne soit pas…

Maman est interrompue. Par moi.

— Tais-toi, maman !

— Sophie, gronde mon père.

— Toi aussi, tais-toi ! crié-je.

Papa et maman me dévisagent.

— Et sortez d'ici tous les deux. Je ne blague pas.

Maman reste estomaquée et je peux lire la confusion dans son regard.

— Sophie !

— Je suis sérieuse. Sortez. Je pensais qu'on pourrait rester ensemble quinze minutes sans une querelle, mais je me suis trompée.

Papa se lève très lentement.

— Tu n'as pas été élevée de cette manière, jeune fille. Que tu sois malade ou pas, déclare-t-il d'une voix sourde.

— Je sais, dis-je après un moment.

Je regarde maman qui pleure. Elle et mon père ramassent leurs affaires, mettent leur manteau. Mais on dirait que tous leurs gestes sont au ralenti.

Je les regarde jusqu'à ce qu'ils soient tout près de la porte.

— Je suis désolée, dis-je alors. Vraiment désolée. Mais vous devriez parfois vous écouter parler.

Maman s'essuie les yeux avec son mouchoir. Papa cherche le sien. Je n'arrive pas à y croire. Je l'ai fait pleurer lui aussi. Pendant un moment, la rage m'envahit : j'ai le pouvoir de faire pleurer ces deux grandes personnes, mais pas de les faire agir comme des êtres raisonnables l'un envers l'autre. Je mets ma rage de côté.

— Pourriez-vous, dis-je à mes parents d'une voix calme, ne revenir que lundi au lieu de demain ? J'ai besoin de réfléchir.

— Moi aussi, dit papa.

— Moi aussi, dit maman.

— On se voit lundi, alors ?

Mes parents hochent la tête. Ils quittent ma chambre ensemble, maman un peu en avant. Je les observe pour voir si papa posera sa main sur l'épaule de maman, ou si maman sourira à papa. Mais ils vont comme deux étrangers, vivant dans des mondes à part.

D'habitude, une scène comme celle-là me met en larmes. Je suis même heureuse de pleurer. Mais pas ce soir. Je suis trop furieuse et, oui, trop forte. Mon corps reprend de la vigueur et mon esprit aussi.

Je vais d'abord penser à moi. Quel genre de journée est-ce que je veux passer demain ? En dehors de l'hôpital, me dis-je. Mais c'est impossible. Avec mes amies alors, en oubliant mes parents ? Ça, ça peut être possible. Je peux même le savoir en moins d'une minute.

J'appelle d'abord Claudia, priant pour qu'elle soit à la maison. Elle y est et répond après une seule sonnerie.

— Salut, Diane, dit-elle.

— Claudia, dis-je après une pause, c'est moi.

— *Sophie ! ?* J'attendais l'appel de Diane. Elle devait... et puis laisse faire. C'est une trop longue histoire. Comment vas-tu ? Tu me sembles en forme.

— Je me sens bien mieux et je me demandais quelque chose. Je sais que ça va te paraître curieux, mais est-ce que vous voudriez revenir à Toronto demain ? Est-ce que vos parents vous laisseraient aller ?

— Retourner à Toronto ? Oui... bien sûr. Enfin, j'imagine. Mais il faut que je vérifie si on a assez d'argent.

— Je comprends, dis-je en riant. Si vous veniez, je serais très contente. Mais je sais que je demande beaucoup.

— Pas tant que ça. Laisse-moi parler aux autres et je te rappelle.

— D'accord. Je vais appeler Hélène pendant ce temps-là. Ça ne te fait rien si elle vient passer un petit bout de temps, demain ? Ce serait agréable qu'on soit toutes ensemble.

— Ça va pour moi, dit Claudia.

Nous raccrochons et j'appelle Hélène.

— Allô, dis-je, c'est Sophie. Est-ce que ma mère est arrivée ?

— Pas encore, me dit mon amie.

— Bon. Elle sera là sous peu et peut-être pas avec son sourire des plus beaux jours.

Je raconte à Hélène ce qui est arrivé à l'hôpital.

— Est-ce que tu veux que je lui demande de te rappeler?

— Non, dis-je. J'ai vraiment besoin d'attendre un peu avant de parler à mes parents. Mais je me demandais si tu aimerais venir me voir demain. Claudia et les autres y seront peut-être si elles obtiennent la permission de leurs parents.

— C'est fantastique! À demain.

Je me réveille très tôt le lendemain. Mes amies ont toutes obtenu la permission de me rendre visite. (Enfin, pas Marjorie et Jessie, mais toutes les autres, plus Hélène. Je meurs d'impatience.)

Je demande à une infirmière de m'aider à me laver les cheveux dans l'évier de la salle de bains. J'enfile ensuite des vêtements propres. Je mets même un peu de maquillage qu'Hélène m'a apporté la semaine dernière. J'ajoute un pendentif et, une fois devant le miroir, je retrouve la même vieille Sophie.

Tout le monde arrive vers treize heures. Mes amies de Nouville et Hélène se saluent chaleureusement. (Elles se sont déjà rencontrées.)

— Vous savez quoi, leur dis-je quand chacune est installée, je n'ai pas ouvert mes cadeaux hier.

— Tant mieux, lance Claudia. Ouvre-les maintenant.

Une infirmière entre au même moment.

— Aaahhh! fait Anne-Marie. Pas une autre prise de sang?

— Non, dit l'infirmière en souriant. Un contrôle de visiteurs plutôt. Je vois que tu as...

Sa voix traîne tout en me regardant. Mes yeux l'implorent de ne renvoyer personne.

— Je vois que tu as exactement deux visiteuses.

— Oh! merci, dis-je, rassurée.

— Ça me fait plaisir. Mais pas trop de bruit, d'accord?

— Soyez sans crainte.

L'infirmière disparaît.

— Nous sommes sauvées, dis-je dans un soupir de soulagement.

— Ouvre maintenant tes cadeaux, dit Claudia, en empilant les présents qui avaient été tassés dans un coin à l'arrivée du médecin, hier.

Je cherche à en attraper un, mais Claudia m'en glisse un autre dans les mains.

— Pourquoi? fais-je. Ah! Il est de toi.

C'est un joli bracelet qu'elle a fabriqué elle-même.

— Merci! merci, Claudia! dis-je en le passant à mon poignet.

Et c'est le début d'un après-midi de plaisir (sans trop de bruit).

J'en arrive même à oublier mes parents.

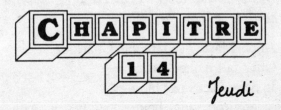

CHAPITRE 14

Jeudi

J'ai gardé Charlotte ce soir et elle a réussi à me défiler les maladies suivantes : l'arthrite, un problème rénal, une infection de la gorge. C'est difficile de lui en vouloir cependant. On dirait vraiment qu'elle ne se sent pas au meilleur de sa forme ces derniers temps. Je crois aussi que c'est parce qu'elle est fatiguée. Chaque soir, elle reste étendue dans son lit, à se faire de la bile pour Sophie.

Eh bien, à la fin de cette soirée, ses inquiétudes se sont envolées. Et je considère sa guérison comme miraculeuse, étant donné le fait que la dernière fois où j'ai moi-même souffert d'une infection de la gorge, j'ai manqué une semaine d'école.

Quelle est donc la cure miracle de Charlotte? Un appel de Claudia! Et je peux dire que toutes celles qui ont parlé avec Claudia ce soir se sont senties réconfortées...

— Anne-Marie? se lamente Charlotte.

— Oui? fait Anne-Marie.

— Je ne me sens pas bien.

Il est environ vingt heures, jeudi soir. Anne-Marie est chez les Jasmin depuis une demi-heure. À son arrivée, Charlotte avait déjà passé sa robe de nuit et était assise dans son lit, un peu pâlotte.

Anne-Marie ne panique pas quand Charlotte lui dit ne pas se sentir bien. Elle sait à quoi s'en tenir sur le comportement de la petite.

— Explique-moi ce qui ne va pas.

— Je suis très fatiguée et mon cou ne veut plus bouger.

Anne-Marie ne sait trop quoi dire là-dessus.

C'est un peu comme moi. Lorsque mes parents sont revenus, séparément, le lundi, je ne savais plus quoi leur dire. Le soir précédent, j'avais préparé des phrases comme: «Ne me mettez plus entre vous deux» ou «Laissez les médecins parler de ma maladie; ce sont eux les experts, pas vous.»

Mais est-ce que j'ai été capable de le dire? Non, je me suis dégonflée. Tout ce que j'ai réussi à faire, ç'a été de m'excuser, encore et encore. «Je suis désolée, répétais-je sans arrêt. Je ne sais pas comment j'ai pu vous demander de vous taire et de partir.»

«Tu étais contrariée», disait papa.

«Tu n'allais pas bien», disait maman.

C'était vrai, mais ce n'était pas les véritables raisons. De toute façon, lorsque Anne-Marie va garder Charlotte, mes parents et moi ne sommes plus fâchés. Ils ont tous deux accepté mes excuses. Je n'étais pas encore prête à me vider le cœur, mais je savais que lorsque le temps serait venu, je le ferais sans me mettre en colère.

Chez les Jasmin, Charlotte part à crier en voyant un petit insecte sur le tapis de sa chambre.

— Il va peut-être me piquer! gémit-elle.

— Je ne le vois même pas, dit Anne-Marie, à quatre pattes sur le plancher. Cette petite chose? demande-t-elle en apercevant une minuscule araignée.

— Tue-la, s'il te plaît.

— Non, je ne la tuerai pas, mais je vais la sortir de ta chambre.

Lorsque Anne-Marie s'est débarrassée de l'araignée, Charlotte a un nouveau bobo.

— Je pense que je fais de l'arthrite, dit Charlotte. J'ai très mal dans le dos... Attends, j'ai peut-être une maladie rénale. Les gens ont parfois mal dans le dos lorsqu'ils souffrent des reins.

— Ils font aussi de la fièvre, dit Anne-Marie en touchant le front de la petite, et tu n'en fais pas.

Charlotte est silencieuse un moment, puis demande à Anne-Marie si elle a de nouveaux livres dans sa trousse à surprises et si elle voudrait lui faire la lecture, car elle a trop mal à la gorge.

— Tu ferais peut-être mieux de te gargariser si la gorge te fait mal.

Charlotte n'a pas le temps de répondre que le téléphone sonne.

— Bonsoir, ici la résidence des Jasmin, dit Anne-Marie dès qu'elle décroche le combiné.

— Allô, Anne-Marie, c'est Claudia. J'ai des nouvelles de Sophie.

— Des nouvelles? Qu'est-ce qui est arrivé? demande vivement Anne-Marie.

Un tas de questions affluent à l'esprit d'Anne-Marie. Est-ce que j'ai eu une rechute? Est-ce que mes nouveaux médicaments me font effet?

— Écoute, fait Claudia. Sophie rentre à Nouville samedi. Elle sera encore en repos une semaine et pourra recommencer à garder dans une quinzaine de jours.

— Youpi! crie Anne-Marie. Attends que je le dise à Charlotte. Elle sera tellement heureuse!

— J'imagine! s'exclame Claudia. Il me reste à appeler les autres membres du CBS.

Anne-Marie raccroche et court vers la chambre de Charlotte.

— Tu ne devineras jamais la nouvelle que je viens d'apprendre par Claudia. Sophie revient dans deux jours!

— Aaaaahhh! crie Charlotte. (Anne-Marie pense, avec raison, que le mal de gorge de Charlotte n'est pas trop grave.)

Anne-Marie lui raconte ensuite ce que Claudia a dit au sujet des activités de Sophie.

— Alors, Sophie ne pourra pas venir me garder avant deux semaines?

— C'est ça. Mais c'est heureux de savoir qu'elle revient, non?

— On devrait lui faire une fête ! lance Charlotte.

— Pas une trop grosse surprise, car elle est en convalescence, mais une fête ordinaire, oui.

— On pourrait fabriquer une bannière, suggère Charlotte. Comme celle qu'on avait accrochée devant la maison lorsqu'elle et sa mère sont revenues habiter à Nouville. On l'attendrait tous ensemble. Mais on ne criera pas et on ne sautera pas comme la dernière fois.

— Ça me semble une bonne idée. On pourrait même servir de la limonade à tout le monde.

— De la limonade sans sucre, ajoute Charlotte.

— Oui, ou avec du sucre artificiel. Je pense que Sophie sera contente. Qu'est-ce qu'on écrirait sur la bannière ?

— Hummm… Heureux de te revoir, Sophie ?

— Parfait !

— Vraiment ? fait Charlotte.

— Affirmatif ! Veux-tu m'aider à fabriquer la bannière ?

— Affirmatif ! réplique Charlotte en riant.

— Il faudrait appeler les autres pour savoir ce qu'elles en pensent.

— Fais-le maintenant. Et tu sais quoi ? On dirait que je n'ai plus mal à la gorge, ni d'arthrite, ni rien.

— Tu ne peux pas savoir comme je suis heureuse d'entendre ça, fait Anne-Marie en serrant Charlotte dans ses bras.

Elles se mettent toutes les deux au téléphone, appelant d'abord Claudia chez qui elles iront faire la bannière le lendemain. Quinze minutes plus tard, tout le monde est au courant de la fête. Anne-Marie assigne les tâches à chacune. Elles ont toutes hâte à samedi. Et moi donc !

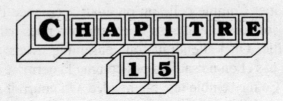

CHAPITRE 15

Nous sommes enfin samedi et j'ai mon congé de l'hôpital.

L'avant-midi est très mouvementé. Maman arrive tôt pour faire mes bagages et pour mettre tous mes cadeaux et mes cartes dans des sacs. Puis elle se met en frais de vider tous les pots de fleurs.

— Maman! Est-ce que je peux garder mes fleurs?

— Pas toutes! réplique-t-elle en regardant, découragée, la chambre remplie de bouquets.

— Quelques-uns seulement, dis-je. Je pourrais donner les autres aux infirmières et aux autres enfants de l'étage.

— Très bonne idée.

Nous laissons donc trois bouquets aux infirmières. Nous allons en porter quatre dans les chambres des enfants que j'ai connus pendant mon séjour, et j'en rapporte trois à la maison.

Papa arrive ensuite pour me dire au revoir pendant

que maman continue de s'activer. Il savait qu'elle serait ici et maman savait que papa viendrait. Lorsqu'ils se retrouvent ensemble, ils ne peuvent pas se quereller car ils ne se parlent même pas.

— À partir de maintenant, dit papa, assure-toi d'aviser immédiatement ta mère ou moi lorsque tu ne te sens pas bien. Tu reconnais les symptômes.

— Oui, papa, ai-je répondu. Je pense que je n'ai pas été très responsable.

— Ce n'était pas ta faute.

— Alors, c'était la faute à qui?

— Quelle différence ça peut-il faire?

— Aucune, je crois, tu as raison.

Quelques minutes plus tard, papa s'apprête déjà à partir.

— Je te promets que ma prochaine visite sera plus amusante, lui dis-je en l'embrassant.

— Je l'espère, fait papa avec un grand sourire.

Après son départ, maman et moi attendons le médecin pour recevoir ses dernières directives.

— Je suis heureuse de t'avoir connue, Sophie, me dit l'infirmière qui vient me reconduire en fauteuil roulant jusqu'à l'auto de maman. Mais je ne veux plus te revoir ici! Ne t'en fais pas, ajoute-t-elle aussitôt en voyant mon air ahuri, je dis la même chose à tous mes patients. Porte-toi bien, d'accord?

— D'accord, et j'espère ne jamais vous revoir non plus, dis-je à mon tour en blaguant.

Elle m'adresse un sourire et repart en poussant son fauteuil vide.

Pendant le voyage de retour, je tombe endormie dans l'auto. Je me réveille lorsque maman me secoue gentiment l'épaule.

— Nous sommes bientôt arrivées, me dit-elle.

Pourquoi me réveille-t-elle ? J'aurais pu me réveiller de moi-même lorsqu'elle aurait arrêté le moteur…

— Oh ! Ce n'est pas possible ! m'exclamé-je en regardant devant moi.

— Tout le monde est bien content de ton retour, comme tu peux voir.

Nous venons de tourner le coin de la rue et j'aperçois déjà le bouquet de ballons accroché à la boîte aux lettres. Debout sur la pelouse, il y a tout un groupe d'enfants. Je vois mes amies du Club, et Charlotte, Becca, Jonathan Mainville, Myriam et Gabrielle Seguin et plusieurs des frères et sœurs de Marjorie.

Puis je lève les yeux sur la bannière pendue au-dessus de la porte d'en avant : HEUREUX DE TE REVOIR, SOPHIE !

— Ton public t'attend, me dit maman en stationnant l'auto.

Je descends lentement ; tout le monde se met à crier.

— Salut ! dis-je, fort émue.

Il y a ensuite toutes ces embrassades (sauf celles des triplets qui jurent par tous les dieux qu'ils en mourraient si une fille les touchait.)

— Je suis tellement contente de te revoir, me dit Claudia.

— Moi aussi !

Je regarde qui se pend à ma ceinture. C'est Charlotte.

— J'avais peur que tu ne reviennes pas, dit-elle. Mais tu vas très bien maintenant.

La vérité c'est que je ne serai jamais très bien, mais ce n'est pas le moment approprié pour le lui expliquer.

Anne-Marie se tient derrière une table à piquenique, versant de la limonade dans des gobelets de carton. Je m'assois dans l'escalier pour boire la mienne... après m'être assurée qu'elle ne contient pas de vrai sucre.

— Es-tu fatiguée, Sophie ? me demande Diane.

— Oui, un peu.

Diane arrête donc la fête et renvoie tout le monde chez eux, sauf Claudia. Maman a déjà déchargé l'auto, transporté valises, sacs et fleurs à l'intérieur.

— Je pense que je vais aller m'étendre un peu, dis-je à mon amie.

— Veux-tu dormir ?

— Non. Juste me reposer. Viens avec moi, d'accord ?

Nous entrons dans la maison et je prends une profonde inspiration.

— Humm ! Ça sent meilleur qu'à l'hôpital.

— Allez, ma patiente, fait Claudia en riant, viens te coucher.

— D'accord, garde Claudia. Maman, je monte me reposer !

— C'est bon, répond ma mère qui s'affaire à la cuisine.

— Je crois que je vais même me mettre au lit, dis-je à Claudia dès que nous sommes dans ma chambre.

J'ouvre la fenêtre, puis je regarde tout autour de moi.

— C'est si agréable de voir des couleurs après avoir passé des jours en gris et blanc.

J'ouvre un tiroir et en sors une robe de nuit.

— Je sais ce que tu veux dire, reprend Claudia, pensant à son propre séjour à l'hôpital après s'être fracturé une jambe.

J'enfile ma robe de nuit et me glisse sous les couvertures. Claudia et moi bavardons jusqu'à ce que je sente mes paupières s'alourdir.

— Je vais t'appeler plus tard, me dit Claudia avant de partir.

— D'accord, merci.

Je succombe au sommeil, tout en songeant qu'il n'y a rien de mieux qu'un chez-soi.

Je dors plusieurs heures d'affilée. Lorsque je me réveille, je me sens assez bien pour aller manger avec maman dans la cuisine. Mais dès que le repas est terminé, je suis encore fatiguée.

— Je pense que je vais me coucher très tôt, dis-je à maman. Mais j'aimerais que tu montes avec moi et que nous parlions.

— D'accord.

Maman me suit dans ma chambre et s'assoit sur le bord de mon lit alors que je retourne sous les couvertures.

— Il y a quelque chose que j'ai essayé de vous dire à papa et à toi depuis longtemps, commencé-je en prenant une grande inspiration. Voilà. Je ne veux plus vous servir de jouet à vous deux.

— Comment ça ? Que veux-tu dire ?

— Oui. Je me sens comme votre bouc émissaire. Papa essaie toujours de me soutirer des informations sur toi. Et toi, tu fais la même chose. Tous les deux, vous vous envoyez des messages par mon intermédiaire. Ce n'est pas juste. À partir de maintenant, je ne parlerai plus de toi à papa et je ne te parlerai plus de lui. Fini, mon rôle de messagère ! Je vais appeler papa dans quelques minutes et je vais lui dire la même chose qu'à toi.

— D'accord, fait maman en hochant la tête. Tout ce que tu as dit me semble très raisonnable.

— Je veux aussi m'excuser. Je sais que je n'ai pas été facile ces derniers temps, mais je ne me sentais pas bien. De plus, je vous en voulais.

— J'accepte tes excuses et je te fais les miennes pour t'avoir prise comme bouc émissaire.

Je souris.

— Merci. Lorsque je vais appeler papa, je lui dirai aussi que j'irai le voir plus souvent, sans chialer. Je serai peut-être heureuse d'aller à Toronto lorsque je saurai que je ne sers plus de bouc émissaire.

— Ça me semble plein de bon sens, dit maman.

— Une dernière chose. Je dois te faire une confession.

Je m'arrête car les larmes affluent à mes yeux.

— Je suis terriblement confuse de l'avouer, mais je crois que j'ai été malade parce que j'ai arrêté de suivre ma diète.

Je raconte à ma mère l'affaire des bonbons, du chocolat et du pouding, puis j'éclate en sanglots. Maman passe son bras autour de mes épaules.

— Ma chérie, dit-elle doucement, tu n'aurais pas dû faire cela, mais les médecins croient que ta diète n'a pas eu tellement d'influence sur ton taux de sucre. Tu te sentais mal depuis très longtemps, n'est-ce pas?

— C'est vrai, dis-je en hochant la tête.

— Et tu sais que d'être diabétique, surtout ce type de diabète, te rend plus susceptible aux infections que quiconque. De plus, une fois que tu as une infection, ton insuline peut te causer des problèmes. C'est un cercle vicieux. Tu t'en étais bien tirée jusqu'ici, mais dernièrement tu as eu la grippe et mal à la gorge...

— Et j'ai fait ma bronchite, tu te rappelles?

— C'est vrai. J'avais oublié. Et tu as été terriblement occupée. Oh! je suis sûre que de manger ces friandises n'a rien aidé, mais je suis aussi certaine que ce n'est pas ça qui t'a rendue malade.

— Je devrais peut-être ralentir un petit peu, dis-je en séchant mes larmes.

— C'est une bonne idée.

— Je dois rattraper mes retards scolaires de toute façon. Et la prochaine fois que je me sentirai mal, je te le dirai. Ainsi, je verrai le médecin avant d'être complètement patraque.

— Une autre bonne idée.

— Merci, maman, dis-je en l'embrassant. Je suis très fatiguée, mais j'ai une autre chose à faire avant d'aller dormir.

Je me lève et me rends dans la chambre de ma mère. C'est le temps de parler à mon père.

Quelques notes sur l'auteure

Pendant son adolescence, ANN M. MARTIN a gardé beaucoup d'enfants, à Princeton, au New Jersey. Maintenant, elle ne garde plus que Mouse, son chat, qui vit avec elle dans son appartement de Manhattan, dans le centre de New York.

Elle a publié plusieurs autres livres dans la collection *Le Club des baby-sitters*.

Elle a été directrice de publication de livres pour enfants, après avoir obtenu son diplôme du Smith College.

44

DIANE ET LA SUPER PYJAMADE
Quatre gardiennes fondent leur club

Ann M. Martin

Adapté de l'américain par
Sylvie Prieur

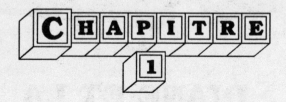

CHAPITRE 1

— C'est moi qui lis la lettre de Rachel en premier! C'est moi! crie Vanessa Picard en sautant et en agitant une lettre et une photo sous mon nez.

— C'est moi, après! revendique Joël Picard.

— Après, c'est moi! crie Margot Picard.

— Après, ce sera mon tour, clame Antoine Picard.

— Calmez-vous et assoyez-vous, dit Marjorie Picard au milieu du tumulte.

Avez-vous déjà gardé chez une famille de huit enfants? Non? Alors, bienvenue chez les Picard. Heureusement, une garde chez eux suppose deux membres du Club des baby-sitters, car huit enfants, c'est beaucoup, même pour nous!

En fait, ils ne sont pas si turbulents et l'une d'eux, Marjorie, fait partie de notre Club. Marjorie, onze ans, est une excellente gardienne. Ce soir, elle et moi gardons ses frères et sœurs.

Moi, je suis Diane Dubreuil. J'ai treize ans et j'habite Nouville. Auparavant, je vivais en Californie et si vous pouviez me voir, vous trouveriez sans doute que je corresponds à l'image que la plupart des gens se font des jeunes californiennes: longs cheveux blonds, yeux bleus, alimentation « santé » et une préférence marquée pour le soleil. Comment me suis-je retrouvée à Nouville? Après le divorce de mes parents, ma mère nous a emmenés ici, mon frère et moi. Nouville est sa ville natale et ses parents y vivent toujours. En arrivant, j'ai eu le coup de foudre pour cette petite ville, mais Julien, mon frère, n'a jamais pu s'adapter et il est retourné en Californie, vivre avec mon père. Nous habitons une vieille maison de ferme construite en 1795. Elle possède une grange et un passage secret qui conduit jusqu'à ma chambre! Fantastique, non?

Ma mère s'est remariée, et mon beau-père et ma demi-soeur habitent désormais avec nous. (Je vous en reparlerai plus tard.)

Revenons maintenant chez les Picard. Antoine, Joël et Bernard, les triplets âgés de dix ans, Vanessa, neuf ans, Nicolas, huit ans, et Margot, sept ans, sont tout excités à cause des lettres et des photos qu'ils viennent de recevoir de leurs correspondants. Claire, cinq ans, fréquente la maternelle et ne participe donc pas à ce projet de correspondance.

Il s'agit d'un programme auquel prennent part différentes écoles primaires à travers le pays, dont l'école primaire de Nouville qui est jumelée à l'école primaire de la réserve indienne Kehiwin, en Alberta. Un grand nombre des Indiens Cris vivant sur cette réserve sont des descendants des chefs Big Bear et Poundmaker qui jouèrent un rôle important lors des révoltes indiennes de 1885.

Voici un avant-goût de ce qui se passe dans certains autres livres de cette collection :

#15 Diane... et la jeune Miss Nouville

Mme Picard demande à Diane de préparer Claire et Margot au concours de Jeune Miss Nouville. Diane tient à ce que ses deux protégées gagnent! Un petit problème... Christine, Anne-Marie et Claudia aident Karen, Myriam et Charlotte à participer au concours, elles aussi. Personne ne sait où la compétition est la plus acharnée: au concours... ou au Club des baby-sitters!

#16 Jessie et le langage secret

Jessie a eu de la difficulté à s'intégrer à la vie de Nouville. Mais les choses vont beaucoup mieux depuis qu'elle est devenue membre du Club des baby-sitters! Jessie doit maintenent relever son plus gros défi: garder un petit garçon sourd et muet. Et pour communiquer avec lui, elle doit apprendre son langage secret.

#17 La malchance d'Anne-Marie

Anne-Marie trouve un colis et une note dans sa boîte aux lettres. «Porte cette amulette, dit la note, ou sinon. » Anne-Marie doit faire ce que la note lui ordonne. Mais qui lui a envoyé cette amulette? Et pourquoi a-t-elle été envoyée à Anne-Marie? Si le Club des baby-sitters ne résout pas rapidement le mystère, leur malchance n'aura pas de fin!

#18 L'erreur de Sophie

Sophie est au comble de l'excitation! Elle a invité ses amies du Club des baby-sitters à passer la longue fin de semaine à Toronto. Mais quelle erreur! Décidément, les membres du Club ne sont pas à leur place dans la grande ville. Est-ce que cela signifie que Sophie n'est plus l'amie des Baby-sitters?

#19 Claudia et l'indomptable Bélinda

Claudia n'a pas peur d'aller garder Bélinda, une indomptable joueuse de tours. Après tout, une petite fille n'est pas bien dangereuse… *Vraiment?* Et pourquoi Claudia veut-elle donc abandonner le Club? Les Baby-sitters doivent donner une bonne leçon à Bélinda. La guerre des farces est déclarée!

#20 Christine face aux Matamores

Pour permettre à ses jeunes frères et à sa petite soeur de jouer à la balle molle, Christine forme sa propre équipe. Mais les Cogneurs de Christine ne peuvent aspirer au titre de champions du monde avec un joueur comme Jérôme Robitaille, dit La Gaffe, au sein de l'équipe. Cependant, ils sont imbattables quand il s'agit d'esprit d'équipe!

#21 Marjorie et les jumelles capricieuses

Marjorie pense que ce sera de l'argent facilement gagné que de garder les jumelles Arnaud. Elles sont tellement adorables! Martine et Caroline sont peut-être mignonnes… mais ce sont de véritables pestes. C'est un vrai cauchemar de gardienne — et Marjorie n'a pas dit son dernier mot!

#22 *Jessie, gardienne... de zoo !*

Jessie a toujours aimé les animaux. Alors, lorsque les Mancusi ont besoin d'une gardienne pour leurs animaux, elle s'empresse de prendre cet engagement. Mais quelle affaire ! Ses nouveaux clients ont un vrai zoo ! Voilà un travail de gardienne que Jessie n'oubliera pas de si tôt !

#23 *Diane en Californie*

Le voyage de Diane en Californie est encore plus merveilleux qu'elle ne l'avait espéré. Après une semaine de rêve, elle commence à se demander si elle ne restera pas sur la côte ouest avec son père et son frère... Diane est californienne de cœur... mais pourra-t-elle abandonner Nouville pour toujours ?

#24 *La surprise de la fête des Mères*

Les Baby-sitters cherchent un cadeau spécial pour la fête des Mères. Or, Christine a une autre de ses idées géniales: offrir aux mamans une journée de congé... sans enfants. Quel cadeau ! Mais la mère de Christine réserve elle aussi une surprise à sa famille...

#25 *Anne-Marie à la recherche de Tigrou*

L'adorable petit chat d'Anne-Marie a disparu ! Les Baby-sitters ont cherché Tigrou partout, mais il reste introuvable. Anne-Marie a alors reçu une lettre effrayante par la poste ! Quelqu'un a enlevé son chat et exige une rançon de cent dollars ! Est-ce une blague ou Tigrou a-t-il vraiment été enlevé ?

#26 *Les adieux de Claudia*

Mimi vient de mourir. Claudia comprend qu'elle était malade depuis longtemps, mais elle en veut à sa grand-mère de l'avoir abandonnée. Maintenant, qui aidera Claudia à faire ses devoirs? Qui prendra le thé spécial avec elle? Pour éviter de penser à Mimi, Claudia consacre tous ses moments libres à la peinture et à la garde d'enfants. Elle donne même des cours d'arts plastiques à quelques enfants du voisinage. Claudia sait bien qu'elle doit se résigner et accepter le départ de Mimi. Mais comment dit-on au revoir à un être cher… pour la dernière fois?

#27 *Jessie et le petit diable*

Nouville a la fièvre des vedettes! Didier Morin, un jeune comédien de huit ans, revient habiter en ville et tout le monde est excité. Jessie le garde quelques fois et, même si les autres enfants le traitent de «petit morveux», elle aime bien Didier. Après tout, c'est un petit garçon bien ordinaire…

#28 *Sophie est de retour*

Les parents de Sophie divorcent. Sophie accepte difficilement cette situation et voilà qu'en plus, elle a un choix à faire: vivre avec son père ou avec sa mère; vivre à Toronto ou à… Nouville. Quelle décision prendra-t-elle?

#29 *Marjorie et le mystère du journal*

Sophie, Claudia et Marjorie découvrent une vieille malle au grenier de la nouvelle maison de Sophie. Tout au fond de la malle se cache un journal intime. Marjorie réussira-t-elle à percer le mystère du journal ?

#30 *Une surprise pour Anne-Marie*

Anne-Marie va vivre une expérience spéciale : le mariage de son père avec la mère de Diane. Les deux baby-sitters souhaiteraient une grande cérémonie avec les robes, les cadeaux et le gâteau qui vont de pair… Après tout, elles deviendront bientôt deux soeurs.

#31 *Diane et sa nouvelle soeur*

Diane a toujours rêvé d'avoir une soeur. Mais maintenant qu'elle et Anne-Marie vivent sous le même toit, Anne-Marie ressemble plutôt à une vilaine demi-soeur : elle se vante d'aller à la danse de l'école, son chat vomit sur la moquette, et elle accapare les gardes de Diane !

#32 *Christine face au problème de Susanne*

Même Christine ne peut déchiffrer les secrets de Susanne, une petite fille autistique qu'elle garde régulièrement. Christine réussira-t-elle à relever le défi qu'elle s'est lancé : transformer Susanne pour qu'elle reste à Nouville ?

#33 *Claudia fait des recherches*

Tout le monde sait que Claudia et sa soeur sont aussi différentes que le jour et la nuit. En ouvrant l'album de photos de famille, Claudia constate qu'il n'y a pas beaucoup de photos d'elle toute petite. Et Claudia a beau chercher son certificat de naissance et l'annonce de sa naissance dans de vieux journaux, elle ne trouve rien. Claudia Kishi est-elle vraiment ce qu'elle croit être? Ou a-t-elle été… adoptée?

#34 Trop de garçons pour Anne-Marie

Un amour de vacances va-t-il venir séparer Louis et Anne-Marie? Sophie et Vanessa ont, elles aussi, des problèmes avec les garçons. Décidément, il y a trop de garçons à Sea City!

#35 Mystère à Nouville!

Sophie et Charlotte découvrent une maison hantée… à Nouville! Les Baby-sitters arriveront-elles à résoudre ce mystère des plus lugubres?

#36 La gardienne de Jessie

Comment les parents de Jessie peuvent-ils lui imposer une gardienne? Jessie aura du mal à expliquer à tante Cécile qu'elle peut très bien prendre soin d'elle-même.

#37 Le coup de foudre de Diane

Lorsque Diane rencontre Alexandre, elle a l'impression que c'est le garçon idéal pour elle. Cependant, les autres membres du Club des baby-sitters éprouvent une certaine méfiance à l'égard d'Alexandre. Diane aura-t-elle une peine d'amour?

#38 L'admirateur secret de Christine

Quelqu'un envoie des lettres d'amour à Christine. Christine est persuadée qu'elles proviennent de Marc, l'entraîneur rival de balle molle. Mais ces notes deviennent bizarres, menaçantes même… Est-ce que Marc ou quelqu'un d'autre cherche à jouer un vilain tour à Christine ?

#39 Pauvre Marjorie !

Le père de Marjorie a perdu son emploi ! La famille arrivera-t-elle à joindre les deux bouts ? Les jeunes Picard retroussent leurs manches et viennent en aide à leur père.

#40 Claudia et la tricheuse

Lors d'un important examen de mathématiques, Claudia est accusée d'avoir triché. Qui est donc la véritable tricheuse et pourquoi a-t-elle triché ? Voilà un autre mystère que les Baby-sitters devront élucider.

#41 Est-ce fini entre Anne-Marie et Louis ?

Anne-Marie croyait bien qu'elle et Louis c'était pour la vie… Mais, depuis quelque temps, ils se querellent pour des choses sans importance. Pourtant, lorsque Anne-Marie propose à Louis d'espacer leurs rencontres, il prend la chose d'une très mauvaise façon. Est-ce la fin de leur idylle ?

#42 Qui en veut à Jessie ?

Jessie décroche le premier rôle dans le ballet que monte son école de danse. Mais, quelqu'un ne veut pas qu'elle fasse partie de la distribution. Qui peut bien en vouloir à Jessie ?

ACHEVÉ D'IMPRIMER
EN JANVIER 1994
SUR LES PRESSES DE
PAYETTE & SIMMS INC.
À SAINT-LAMBERT, P.Q.